INTERTEXTES - Les œuvres

Dominique VACHEY
Agrégée des Lettres
Professeur au Collège Sévigné

BALZAC :
La Comédie humaine

Textes, commentaires et guides d'analyse

FERNAND NATHAN

Les textes de *La Comédie humaine* proposés dans cet ouvrage ont été publiés dans la « Bibliothèque de la Pléiade » aux éditions Gallimard et établis par : Rose Fortassier pour *Le Père Goriot, La Duchesse de Langeais, La Fille aux yeux d'or* et *Le Médecin de campagne*; Pierre Citron pour *La Peau de chagrin, Gobseck* et *Splendeurs et misères des courtisanes*; Madeleine Fargeaud pour *La Femme abandonnée* et *La Recherche de l'Absolu*; René Guise pour *César Birotteau* et *Le Chef-d'œuvre inconnu*; Thierry Bodin pour *Les Paysans*; Nicole Mozet pour *Eugénie Grandet, La Vieille fille* et *Le Cabinet des Antiques*; Pierre Barbéris pour *Le Colonel Chabert*; Michel Lichtlé pour *Louis Lambert*; Jean-Hervé Donnard pour *Le Lys dans la vallée*; Roland Chollet pour *Illusions perdues*; Anne-Marie Meininger pour *La Cousine Bette*; Henri Gauthier pour *Séraphîta*; Colin Smethurst pour *Le Député d'Arcis*.
Pour la commodité du travail des élèves, nous indiquons à la suite de chaque texte ses références dans la collection Folio-Gallimard (pour les œuvres publiées dans cette collection).

SOURCES ICONOGRAPHIQUES :

p. 3 : Ken Takase/Ziolo; p. 13 : Roger Viollet; p. 14 : Colin/Télé 7 jours - Scoop; p. 26 : Lauros-Giraudon; p. 33 : Charmet; p. 36 : Charmet; p. 37 : Nathan; p. 47 : Colin/Télé 7 jours - Scoop; p. 56 : Edimedia; p. 60 : Bulloz; p. 66 : Takase/Ziolo; p. 80 : Edimedia; p. 83 : Letellier/Télé 7 jours - Scoop; p. 86 : Roger Viollet; p. 91 : Giraudon; p. 98 g : Charmet, d : Roger Viollet; p. 102 : Trela/Ziolo; p. 107, p. 111 : Charmet.

Couverture : G. Mandel/Ziolo
Maquette : S. Gil Antoli
Recherche iconographique : G. Mary

Balzac en 1836 par Louis Boulanger. Tours, Musée des Beaux-Arts. « ... ce que Boulanger a su peindre et ce dont je suis content, c'est la persistance à la Coligny, à la Pierre-le-Grand, qui est la base de mon caractère-l'intrépide foi dans l'avenir. »

LA CARRIÈRE LITTÉRAIRE DE BALZAC

	Le Consulat et l'Empire (1799-1814)	
1799	Balzac naît à Tours dans une famille de la bourgeoisie.	
1807 à 1819	Il fait ses études chez les oratoriens de Vendôme puis à la Faculté de droit de Paris.	
	La Restauration (1814-1830)	
1819 à 1825	Balzac affirme sa vocation littéraire et se livre à ses premiers travaux. Pour gagner sa vie, il écrit, souvent en collaboration et sous des pseudonymes, divers romans.	*Falthurne* (1820). *Wann-Chlore* (1825).
1825 à 1830	Il s'improvise éditeur et imprimeur, mais fait vite faillite et se tourne de nouveau vers la littérature.	*Les Chouans; Physiologie du mariage* (1829).
	La Révolution de 1830 et la Monarchie de Juillet (1830-1848)	
	Balzac fréquente les salons, collabore à différents journaux et connaît le succès.	*Scènes de la vie privée,* dont *Gobseck* (1830). *La Peau de chagrin* et *Romans et contes philosophiques* (1831).
1832 à 1837	Il reçoit la première lettre de l'Étrangère (une admiratrice polonaise, Madame Hanska). C'est le début d'une correspondance et d'une liaison passionnées.	*Le Colonel Chabert* (1832). *Louis Lambert; Eugénie Grandet; Le Médecin de campagne* (1833). *La Duchesse de Langeais; La Recherche de l'Absolu* (1834). *Le Père Goriot; La Fille aux yeux d'or; Le Lys*
	Balzac mène une vie sentimentale agitée, voyage en Europe et connaît des difficultés financières.	*dans la vallée; Séraphîta* (1835). *Facino Cane* (1836). *Illusions perdues I; César Birotteau* (1837). *La Maison Nucingen; Le Curé de village* (1838).
1843 à 1845	Balzac rejoint Mme Hanska à St-Pétersbourg et voyage avec elle en Europe.	*Illusions perdues II; Splendeurs et misères des courtisanes I* (1839). *La Rabouilleuse* (1841). *Un Début dans la vie* (1842). *Illusions perdues III*
1846-47	Réinstallation à grand frais à Paris.	(1843). *Les Paysans* (1844). *La Cousine Bette* (1846). *Splendeurs et misères des courtisanes II; Le Cousin Pons* (1847).
	La Révolution de 1848 et la deuxième République	
1850	Balzac épouse Mme Hanska, revient, très malade, à Paris et meurt le 18 août.	

INTRODUCTION

Histoire et structure de La Comédie humaine

Premières œuvres.

Dans ses premiers essais, qui datent de 1820, Balzac manifeste certaines préoccupations philosophiques; puis éprouvant la difficulté de cette vocation, il renonce à cette orientation et donne, sous des pseudonymes, des œuvres dans lesquelles il imite, sans véritablement les comprendre et les assimiler, divers auteurs au goût du jour. Et, luttant obstinément pour le succès, il publie *Wann-Chlore*, roman réaliste et intimiste dont l'échec le conduit à abandonner la littérature et à se lancer dans les affaires. Néanmoins ces ouvrages, quoique généralement méprisés, figurent des étapes nécessaires dans l'itinéraire qui mène à *La Comédie humaine* : car Balzac y fait en quelque sorte l'apprentissage des techniques romanesques et y exprime déjà ce qui constituera des aspects fondamentaux de sa vision du monde et des thèmes essentiels de sa pensée. Du reste, pendant cette difficile expérience commerciale, l'écrivain n'est pas mort en Balzac qui fait paraître *La Physiologie du mariage*, où il s'engage dans la voie du réalisme, et *Les Chouans*, récit historique dans le style de Walter Scott.

Constitution du roman balzacien.

1830 est une date-clef dans la carrière de Balzac – comme dans l'histoire de la littérature ou de la société française. Deux directions s'offrent alors à lui : soucieux de représenter le réel, de peindre les mœurs et les milieux sociaux, il compose des *Scènes de la vie privée*; mais désireux également d'expliquer la vie, d'analyser l'homme et la société, il travaille aux *Romans et contes philosophiques* avec, pour ouverture, *La Peau de chagrin*. La fusion de ces deux tendances – l'alliance de l'observation et de la pensée – s'opère dans les œuvres à partir de 1833. Le roman balzacien, dans sa nouveauté et sa spécificité, s'impose avec *Eugénie Grandet*, peinture réaliste de la société moderne où l'argent tient un rôle primordial, où sont annihilées et étouffées la femme, la famille et la province, mais aussi évocation des ravages d'une idée fixe, des effets dévastateurs de la passion. De plus, l'œuvre revêt alors une dimension supplémentaire et s'enrichit de l'infusion du mythe : si l'on compare en effet la première version de *Gobseck*, parue en 1830 et intitulée *Les Dangers de l'inconduite*, et le texte de la réédition de 1835, il apparaît que le personnage de l'usurier a acquis des proportions nouvelles et s'est lesté de significations symboliques (voir sa profession de foi). Enfin, vers ces mêmes années (1833-1834), Balzac songe à organiser les *Études de mœurs* qui se subdiviseraient en *Scènes de la vie privée*, *Scènes de la vie de province*, *Scènes de la vie parisienne* ainsi qu'en *Scènes de la vie politique*, *Scènes de la vie militaire*, *Scènes de la vie de campagne*, dont l'essentiel serait encore à composer.

Organisation de *La Comédie humaine*.

En 1835 paraît *Le Père Goriot*, moment capital dans la production de l'auteur de *La Comédie humaine* puisque pour la première fois il exploite systématiquement le procédé du retour des personnages et les interférences entre les textes. En outre Balzac projette de grouper ses écrits sous le titre global d'*Études sociales* qui se décomposeraient en *Études de mœurs*, *Études philosophiques* et *Études analytiques* (à faire). Ainsi entrevoit-il désormais l'ordre, la cohérence et l'unité de l'œuvre à laquelle en 1842 il donne le titre définitif de *La Comédie humaine* (avec tout à la fois une référence au théâtre et une allusion à *La Divine comédie*, de Dante) et qu'il fait précéder du célèbre *Avant-propos* où il révèle son projet. Il dresse en 1845 le catalogue de *La Comédie humaine*, telle qu'il la conçoit dans sa totalité :

Première partie : ÉTUDES DE MŒURS

En italique : les ouvrages à faire.

SCÈNES DE LA VIE PRIVÉE (4 volumes, tomes I à IV). – 1. *Les Enfants*. – 2. *Un Pensionnat de demoiselles*. – 3. *Intérieur de collège*. – 4. La Maison du Chat-qui-pelote. – 5. Le Bal de Sceaux. – 6. Mémoires de deux jeunes mariées. – 7. La Bourse. – 8. Modeste Mignon. – 9. Un Début dans la vie. – 10. Albert Savarus. – 11. La Vendetta. – 12. Une Double famille. – 13. La Paix du ménage. – 14. Madame Firmiani. – 15. Étude de femme. – 16. La Fausse maîtresse. – 17. Une Fille d'Ève. – 18. Le Colonel Chabert. – 19. Le Message. – 20. La Grenadière. – 21. La Femme abandonnée. – 22. Honorine. – 23. Béatrix ou les Amours forcées. – 24. Gobseck. – 25. La Femme de trente ans.

– 26. Le Père Goriot. – 27. Pierre Grassou. – 28. La Messe de l'athée. – 29. L'Interdiction. – 30. Le Contrat de mariage. – 31. *Gendres et belles-mères.* – 32. Autre étude de femme.

SCÈNES DE LA VIE DE PROVINCE (4 volumes, tomes V à VIII). – 33. Le Lys dans la vallée. – 34. Ursule Mirouet. – 35. Eugénie Grandet. – LES CÉLIBATAIRES : 36. Pierrette. – 37. Le Curé de Tours. – 38. Un Ménage de garçon en province (La Rabouilleuse). – LES PARISIENS EN PROVINCE : 39. L'Illustre Gaudissart. – 40. *Les Gens ridés.* – 41. La Muse du département. – 42. *Une Actrice en voyage.* – 43. *La Femme supérieure.* – LES RIVALITÉS : 44. *L'Original.* – 45. *Les Héritiers Boirouge.* – 46. La Vieille fille. – LES PROVINCIAUX À PARIS : 47. Le Cabinet des Antiques. – 48. *Jacques de Metz.* – 49. Illusions perdues. 1re partie : Les deux poètes ; 2e partie : Un grand homme de province à Paris ; 3e partie : Les souffrances de l'inventeur.

SCÈNES DE LA VIE PARISIENNE (4 volumes, tomes IX à XII). – HISTOIRE DES TREIZE : 50. Ferragus (1er épisode). – 51. La Duchesse de Langeais (2e épisode). – 52. La Fille aux yeux d'or (3e épisode). – 53. Les Employés. – 54. Sarrasine. – 55. Grandeur et décadence de César Birotteau. – 56. La Maison Nucingen. – 57. Facino Cane. – 58. Les Secrets de la princesse de Cadignan. – 59. Splendeurs et misères des courtisanes. – 60. La Dernière incarnation de Vautrin. – 61. *Les Grands, l'Hôpital et le Peuple.* – 62. Un Prince de la bohème. – 63. Les Comiques sérieux (Les Comédiens sans le savoir). – 64. Échantillons de causeries françaises. – 65. *Une Vue du palais.* – 66. Les Petits bourgeois. – 67. *Entre savants.* – 68. *Le Théâtre comme il est.* – 69. *Les Frères de la Consolation* (L'Envers de l'histoire contemporaine).

SCÈNES DE LA VIE POLITIQUE (3 volumes, tomes XIII à XV). – 70. Un Épisode sous la Terreur. – 71. *L'Histoire et le roman.* – 72. Une Ténébreuse affaire. – 73. *Les Deux ambitieux.* – 74. *L'Attaché d'ambassade.* – 75. *Comment on fait un ministère.* – 76. Le Député d'Arcis. – 77. Z. Marcas.

SCÈNES DE LA VIE MILITAIRE (4 volumes, tomes XVI à XIX). – 78. *Les Soldats de la République* (3 épisodes). – 79. *L'Entrée en campagne.* – 80. *Les Vendéens.* – 81. Les Chouans. – LES FRANÇAIS EN ÉGYPTE, (1er épisode) : 82. *Le Prophète* (2e épisode) : 83. *Le Pacha* (3e épisode) : 84. Une Passion dans le désert. – 85. *L'Armée roulante.* – 86. *La Garde consulaire.* – 87. SOUS VIENNE, 1re partie : *Un Combat* ; 2e partie : *L'Armée assiégée* ; 3e partie : *La Plaine de Wagram.* – 88. *L'Aubergiste.* – 89. *Les Anglais en Espagne.* – 90. *Moscou.* – 91. *La Bataille de Dresde.* – 92. *Les Traînards.* – 93. *Les Partisans.* – 94. *Une Croisière.* – 95. *Les Pontons.* – 96. *La Campagne de France.* – 97. *Le Dernier champ de bataille.* – 98. *L'Émir.* – 99. *La Pénissière.* – 100. *Le Corsaire algérien.*

SCÈNES DE LA VIE DE CAMPAGNE (2 volumes, tomes XX et XXI). – 101. Les Paysans. – 102. Le Médecin de campagne. – 103. *Le Juge de paix.* – 104. Le Curé de village. – 105. *Les Environs de Paris.*

Deuxième partie : ÉTUDES PHILOSOPHIQUES

(3 volumes, tomes XXII à XXIV). – 106. *Le Phédon d'aujourd'hui.* – 107. La Peau de chagrin. – 108. Jésus-Christ en Flandre. – 109. Melmoth réconcilié. – 110. Massimilla Doni. – 111. Le Chef-d'œuvre inconnu. – 112. Gambara. – 133. Balthazar Claës ou la Recherche de l'Absolu. – 114. *Le Président Fritot.* – 115. *Le Philanthrope.* – 116. L'Enfant maudit. – 117. Adieu. – 118. Les Marana. – 119. Le Réquisitionnaire. – 120. El Verdugo. – 121. Un Drame au bord de la mer. – 122. Maître Cornélius. – 123. L'Auberge rouge. – 124. SUR CATHERINE DE MÉDICIS : I. Le Martyr calviniste. – 125. ID. : II. La Confidence des Ruggieri. – 126. ID. : III. Les Deux rêves. – 127. *Le Nouvel Abeilard.* – 128. L'Élixir de longue vie. – 129. *La Vie et les aventures d'une idée.* – 130. Les Proscrits. – 131. Louis Lambert. – 132. Séraphîta.

Troisième partie : ÉTUDES ANALYTIQUES

(2 volumes, tomes XXV et XXVI). – 133. *Anatomie des corps enseignants.* – 134. La Physiologie du mariage. – 135. *Pathologie de la vie sociale.* – 136. *Monographie de la vertu.* – 137. *Dialogue philosophique et politique sur les perfections du XIXe siècle.*

Force est de constater que la construction de cet immense édifice est laissée inachevée : certains ouvrages prévus par Balzac n'ont pas été réalisés, les *Études analytiques* qui devaient être consacrées à une anatomie de la vie sociale se réduisent finalement à *La Physiologie du mariage* et aux *Petites misères de la vie conjugale.* Dans ce cadre viendront s'insérer quelques romans qui ne figuraient pas dans le catalogue et qui furent écrits à la fin de la Monarchie de Juillet *(Un Homme d'affaires; Gaudissart II; Les Parents pauvres : La Cousine Bette, Le Cousin Pons).*

La création balzacienne

Un univers cohérent et signifiant.

Balzac conçoit *La Comédie humaine* comme le « système » de l'homme et de la société. En vertu de la loi de l'unité de composition des naturalistes, Buffon et Geoffroy Saint-Hilaire (« Il n'y a qu'un animal. Le créateur ne s'est servi que d'un seul et même patron pour tous les êtres organisés. L'animal est un principe qui prend sa forme extérieure, ou, pour parler plus exactement, les différences de sa forme, dans les milieux où il est appelé à se développer. Les espèces zoologiques résultent de ces différences. »[1]), il entend procéder à un inventaire et à une classification des espèces sociales. A ces familles sociales qui se constituent par la distinction des milieux, se superposent des familles spirituelles : s'inspirant de Swedenborg, illuministe suédois du XVIIIe siècle, et reprenant l'idée d'une hiérarchisation des facultés, Balzac envisage un autre principe de différenciation – selon le degré d'élévation de l'âme. Donc, si M. Guillaume dans *La Maison du Chat-qui-pelote* et César Birotteau, avec leurs commis Joseph Lebas et Anselme Popinot, sont les représentants des commerçants parisiens, Madame de Mortsauf dans *Le Lys dans la vallée*, Pauline dans *La Peau de chagrin* et Mademoiselle de Villenoix dans *Louis Lambert* se rejoignent parce qu'elles appartiennent toutes à la sphère des êtres angéliques.

Ainsi se forme, à l'intérieur de telle œuvre particulière ou de l'ensemble de *La Comédie humaine*, un réseau subtil de relations entre groupes, individus, situations sociales ou qualités spirituelles. Et dans cet univers puissamment reconstruit par l'écrivain, où tout est signifiant, où tout se répond, l'opposition fondamentale entre deux personnages, par exemple, est amplifiée et s'étend jusqu'au moindre détail – tel élément du décor ou tel trait de l'apparence physique et du discours de l'individu. *La Comédie humaine*, rêvée par Balzac, apparaîtrait, selon le mot de Proust sur *La Recherche du temps perdu*, comme une vaste cathédrale dont les divers motifs architecturaux se feraient écho, reproduisant jusque dans les parties les plus infimes le contraste initial.

Une structure dramatique.

A cette conception d'un univers fortement cohérent, régi par la loi de l'unité de composition et sous-tendu par des relations profondes et multiples correspond une structure essentiellement dramatique. Marqué en cela par les romans de Walter Scott mais aussi influencé par le théâtre (comme l'indiquent le titre même de

1. *Avant-propos.*

l'œuvre et les nombreuses références à des auteurs tels que Molière), Balzac consacre son récit à la peinture d'une crise, relativement brève, qu'il fait précéder d'une longue préparation : à une phase statique, constituée par les portraits, descriptions, retours en arrière, succède une phase dynamique, fondée sur l'intrigue et l'action. Les éléments que l'écrivain a minutieusement notés deviennent porteurs de sens, les détails qu'il a accumulés, prenant toute leur valeur, nourrissent la crise et participent au drame.

Analysons en ce sens l'organisation du roman *Eugénie Grandet* (1833). Après une lente exposition où il dépeint le cadre (Saumur et « la maison à M. Grandet ») ainsi que les personnages (la famille Grandet et les clans rivaux des Cruchot et des Grassins), Balzac représente l'événement qui noue l'intrigue et déclenche l'action – l'arrivée du cousin parisien. Par l'amour qu'il inspire à Eugénie, Charles brise l'immobilité de son existence, libère l'énergie qu'elle portait en elle et la révèle à elle-même, face à Grandet. Le drame réside dès lors dans le conflit des forces en présence, le heurt de plus en plus violent de deux passions exclusives (l'amour de la fille et l'avarice du père), et atteint son sommet avec la séquestration et la spoliation d'Eugénie. Après la mort de Grandet, un coup de théâtre précipite le dénouement : la trahison de Charles conduit Eugénie au renoncement et la replonge dans l'uniformité et l'immobilité initiales. La crise est ainsi résolue et le roman se clôt sur lui-même.

Puisque la structure et l'écriture d'une œuvre sont indissociables de la vision du monde de l'auteur, il convient, une fois mises en lumière l'ossature de *La Comédie humaine* et l'armature du récit, d'étudier d'après des textes précis comment le romancier appréhende la réalité, et de définir la dimension originale du réalisme balzacien.

OBSERVATION ET IMAGINATION

« Chez moi l'observation était déjà devenue intuitive, elle pénétrait l'âme sans négliger le corps ; ou plutôt elle saisissait si bien les détails extérieurs, qu'elle allait sur-le-champ au-delà. »

Balzac, *Facino Cane.*

LE RÉALISME BALZACIEN

Dans l'*Avant-propos* de 1842 à *La Comédie humaine*, Balzac s'appuyant sur une comparaison entre l'humanité et l'animalité et reprenant la méthode de Buffon, présente tout d'abord son œuvre comme un exercice de l'observation. Il se propose en effet de « peindre »[1] les caractères, de dresser « l'inventaire »[1] des comportements, d'« enregistrer »[1] les événements de la vie intime, en tenant compte de nombreux facteurs de différenciation comme le sexe, le milieu, le degré d'intelligence, etc. Description des « espèces sociales »[1] mais aussi histoire des mœurs, tel apparaît d'abord le projet du romancier qui se définit comme le « secrétaire »[1] chargé de mouler sur le vif la société de son époque – cette formule révélant deux exigences essentielles à ses yeux, vérité et objectivité. Cette relation étroite de l'œuvre et du réel dont elle s'inspire et qu'elle évoque dans sa totalité constitue la nouveauté de l'entreprise balzacienne.

1. *Avant-propos.*

CONCEPTION DU PERSONNAGE

Si dans le roman noir ou le roman d'intrigue sentimentale, genres florissants dans la première moitié du XIXe siècle, n'intervenaient souvent que des figures inconsistantes, conventionnelles et dénuées de toute épaisseur psychologique, les personnages de *La Comédie humaine* se caractérisent par leur diversité, leur complexité et leur profondeur – qui expriment celles-là mêmes de la réalité. Balzac prend soin d'individualiser fortement ses héros, de leur donner un relief propre par un portrait détaillé qui leur confère une certaine pesanteur concrète.

CONSTITUTION DE L'ESPACE ROMANESQUE

De plus, loin de reprendre le décor abstrait, uniforme et accessoire en usage dans les romans précédents, l'écrivain insère ses personnages dans des cadres empruntés au spectacle du quotidien, lieux divers qu'il décrit dans leurs particularités et auxquels il donne une présence et un poids nouveaux. Or, de même que les caractères physiques d'un individu sont révélateurs de ses dispositions psychiques, il y a interaction entre l'homme et le milieu : le décor influe autant sur le personnage qu'il reflète ses états d'âme. Cette vision unitaire de l'homme, cette conception analogique de l'univers fondent la cohérence du roman : le portrait et la description contiennent en germe l'intrigue et l'action; le drame est inscrit dans l'exposition.

LA COMÉDIE HUMAINE ET L'HISTOIRE CONTEMPORAINE

Enfin, rompant avec un certain idéalisme littéraire ignorant des réalités modernes, Balzac confronte ses créatures aux forces de la société, les met aux prises avec le monde, notant par là certains phénomènes sociaux et politiques, reproduisant certaines tensions de l'époque, soulignant certaines déterminations économiques. *La Comédie humaine* peut ainsi se lire comme un vaste panorama de la France sous la Restauration et la Monarchie de Juillet : le romancier, optant pour un réalisme exhaustif, s'attache à toutes les « classes » sociales – noblesse, clergé, bourgeoisie, peuple – à tous les milieux professionnels – monde du journalisme, du négoce, de la finance, de la politique, etc.

Il apparaît donc que cette œuvre est le fruit des observations, des expériences de son auteur, à partir desquelles s'opère le déploiement de l'imagination. L'écrivain, doué d'intuition et doté d'« une sorte de seconde vue »[2], peut ainsi « inventer le vrai »[2].

2. Préface à *La Peau de chagrin*.

Balzac écrivant les Scènes de la vie privée. Caricature de Cham.

1. Présentation du personnage

Illusions perdues : Portraits contrastés de David et de Lucien

Dans le roman intitulé Illusions perdues *(I, 1837) qu'il présente dans une lettre à Madame Hanska (du 2 mars 1843) comme « l'œuvre capitale dans l'œuvre », Balzac évoque les deux figures opposées et complémentaires de Lucien Chardon et David Séchard, jeunes provinciaux de modeste condition, désireux de se faire reconnaître par la société. C'est ainsi que l'un tentera de conquérir Paris, de s'imposer par ses succès littéraires et mondains, tandis que l'autre, demeuré à Angoulême, se livrera à des recherches scientifiques et techniques. Et à l'ouverture du livre, alors que « les deux poètes » peuvent encore nourrir les espérances et les illusions de la jeunesse, alors qu'ils n'ont été encore ni touchés ni dégradés par le contact de la réalité, Balzac leur consacre un long portrait — soucieux de conférer à ses personnages une profondeur et un relief particuliers mais aussi d'exposer au lecteur la situation initiale dans laquelle le drame futur est virtuellement contenu.*

Les rayons du soleil qui se jouaient dans les pampres de la treille caressèrent les deux poètes en les enveloppant de sa lumière comme d'une auréole. Le contraste produit par l'opposition de ces deux caractères et de ces deux figures fut alors si vigoureusement accusé, qu'il aurait séduit la
5 brosse d'un grand peintre. David avait les formes que donne la nature aux êtres destinés à de grandes luttes, éclatantes ou secrètes. Son large buste était flanqué par de fortes épaules en harmonie avec la plénitude de toutes ses formes. Son visage, brun de ton, coloré, gras, supporté par un gros cou, enveloppé d'une abondante forêt de cheveux noirs, ressemblait
10 au premier abord à celui des chanoines chantés par Boileau[1], mais un second examen vous révélait dans les sillons des lèvres épaisses, dans la fossette du menton, dans la tournure d'un nez carré, fendu par un méplat tourmenté, dans les yeux surtout! le feu continu d'un unique amour, la sagacité du penseur, l'ardente mélancolie d'un esprit qui pouvait embras-
15 ser les deux extrémités de l'horizon, en en pénétrant toutes les sinuosités, et qui se dégoûtait facilement des jouissances tout idéales en y portant les clartés de l'analyse[2]. Si l'on devinait dans cette face les éclairs du génie

1. Dans *Le Lutrin*. — **2.** Tels sont bien les caractères physiques et les dispositions de l'écrivain (cf. le portrait de Balzac par Théophile Gautier). En cela le personnage de David — comme celui de Lucien — apparaît comme une incarnation — partielle — de son créateur.

qui s'élance, on voyait aussi les cendres auprès d'un volcan; l'espérance s'y éteignait dans un profond sentiment du néant social où la naissance
20 obscure et le défaut de fortune maintiennent tant d'esprits supérieurs. Auprès du pauvre imprimeur, à qui son état, quoique si voisin de l'intelligence, donnait des nausées, auprès de ce Silène[3] lourdement appuyé sur lui-même qui buvait à longs traits dans la coupe de la science et de la poésie, en s'enivrant afin d'oublier les malheurs de la vie de province, Lucien
25 se tenait dans la pose gracieuse trouvée par les sculpteurs pour le Bacchus indien[4]. Son visage avait la distinction des lignes de la beauté antique : c'était un front et un nez grecs, la blancheur veloutée des femmes, des yeux noirs tant ils étaient bleus, des yeux pleins d'amour, et dont le blanc

David Séchard et Lucien de Rubempré dans l'adaptation télévisée des *Illusions perdues.*

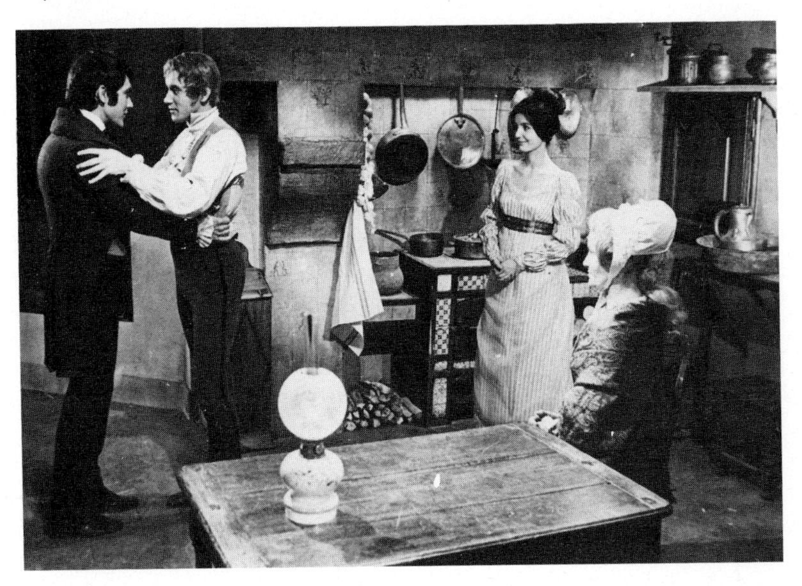

3. Silène, personnage mythologique fort laid, à la lèvre épaisse et au regard de taureau, est habituellement représenté ivre et porté par un âne sur lequel il se maintient à grand-peine. – 4. Il y aurait peut-être là une erreur archéologique, le Bacchus indien, dieu barbu, ne présentant pas les traits que Balzac prête à Lucien. Mais cette assimilation est d'autant mieux choisie que Silène passait pour avoir élevé Bacchus.

le disputait en fraîcheur à celui d'un enfant. Ces beaux yeux étaient sur-
30 montés de sourcils comme tracés par un pinceau chinois et bordés de longs cils châtains. Le long des joues brillait un duvet soyeux dont la couleur s'harmoniait[5] à celle d'une blonde chevelure naturellement bouclée. Une suavité divine respirait dans ses tempes d'un blanc doré. Une incomparable noblesse était empreinte dans son menton court, relevé sans
35 brusquerie. Le sourire des anges tristes errait sur ses lèvres de corail rehaussées par de belles dents. Il avait les mains de l'homme bien né, des mains élégantes, à un signe desquelles les hommes devaient obéir et que les femmes aiment à baiser. Lucien était mince et de taille moyenne. A voir ses pieds, un homme aurait été d'autant plus tenté de le prendre
40 pour une jeune fille déguisée, que, semblable à la plupart des hommes fins, pour ne pas dire astucieux, il avait les hanches conformées comme celles d'une femme. Cet indice, rarement trompeur, était vrai chez Lucien, que la pente de son esprit remuant amenait souvent, quand il analysait l'état actuel de la société, sur le terrain de la dépravation parti-
45 culière aux diplomates qui croient que le succès est la justification de tous les moyens, quelque honteux qu'ils soient[6]. L'un des malheurs auxquels sont soumises les grandes intelligences, c'est de comprendre forcément toutes choses, les vices aussi bien que les vertus.

Balzac, *Illusions perdues*, 1re partie, « Les deux poètes » (« Folio I », pp. 50-52).

5. Balzac préfère la forme vieillie « s'harmonier » à « s'harmoniser ». – 6. L'allusion est ténébreuse. Balzac semble insinuer que Lucien, homme « fin » et « astucieux », songe à certaines « dépravations particulières » dont il est permis de penser qu'elles sont homosexuelles (cf. l'entretien avec Herrera à la fin du roman).

Guide d'analyse

1. La technique du portrait. Étudiez le mode de présentation des deux personnages. Quelle en est l'approche et quels traits en sont retenus ?

2. Le contraste. Analysez les oppositions – dans les traits descriptifs, les notations morales et les images – en précisant comment elles structurent le texte.

3. La fonction du portrait. Montrez les correspondances étroites qu'établit Balzac entre l'apparence physique et le caractère. Soulignez en quoi l'action et l'intrigue sont en quelque sorte annoncées et inscrites dans ces portraits.

4. Le style de Balzac. Vous tenterez, d'après ces portraits, de dégager les caractéristiques de l'écriture de Balzac.

La Vieille fille : Une « héritière » de province

*Aux deux jeunes héros d'*Illusions perdues *désireux de forcer l'avenir et prêts à lutter contre une société qui les ignore, s'oppose, dans* La Vieille fille *(1837), Rose Cormon. Refusant tout changement, toute rupture de l'ordre immuable des choses, elle se conforme aux fonctions que lui réservent la famille, l'église et la société. C'est pourquoi, malgré un désir de maternité qui la tourmente, une fortune qu'il faut léguer à des héritiers et la présence de trois prétendants dont la rivalité constitue le sujet du roman, elle est, à quarante ans, toujours à marier. On notera cependant qu'en dépit de l'aspect drôlatique de la situation, l'héroïne n'est nullement grotesque : voici donc le portrait, savoureux et tendre à la fois, de cette « Agnès catholique » vieillie, privée des avantages de la beauté ou de l'intelligence, mais animée néanmoins de l'espoir d'être épousée pour elle-même.*

Les pieds de l'héritière étaient larges et plats; sa jambe, qu'elle laissait souvent voir par la manière dont, sans y entendre malice, elle relevait sa robe quand il avait plu et qu'elle sortait de chez elle ou de Saint-Léonard[1], ne pouvait être prise pour la jambe d'une femme. C'était une
5 jambe nerveuse, à petit mollet saillant et dru, comme celui d'un matelot. Une bonne grosse taille, un embonpoint de nourrice, des bras forts et potelés, des mains rouges, tout en elle s'harmoniait aux formes bombées, à la grasse blancheur des beautés normandes. Des yeux d'une couleur indécise et à fleur de tête donnaient au visage, dont les contours arrondis
10 n'avaient aucune noblesse, un air d'étonnement et de simplicité moutonnière qui seyait d'ailleurs à une vieille fille[2]. Si Rose n'avait pas été innocente, elle eût semblé l'être. Son nez aquilin contrastait avec la petitesse de son front, car il est rare que cette forme de nez n'implique pas un beau front. Malgré de grosses lèvres rouges, l'indice d'une grande bonté, ce
15 front annonçait trop peu d'idées pour que le cœur fût dirigé par l'intelligence : elle devait être bienfaisante sans grâce. Or, l'on reproche sévèrement à la Vertu ses défauts, tandis qu'on est plein d'indulgence pour les qualités du Vice. Des cheveux châtains et d'une longueur extraordinaire prêtaient à la figure de Rose Cormon cette beauté qui résulte de la force
20 et de l'abondance, les deux caractères principaux de sa personne. Au temps de ses prétentions, Rose affectait de mettre sa figure de trois quarts

---

1. Saint-Léonard, église d'Alençon. – **2.** Dans tout ce portrait, sauf dans l'évocation de la jeunesse du personnage, Balzac s'ingénie à nier la femme en Rose, en lui prêtant des traits masculins, « moutonniers » ou enfantins.

pour montrer une très jolie oreille qui se détachait bien au milieu du blanc azuré de son col et de ses tempes, rehaussé par son énorme chevelure. Vue ainsi, en habit de bal, elle pouvait paraître belle. Ses formes
25 protubérantes, sa taille, sa santé vigoureuse arrachaient aux officiers de l'Empire[3] cette exclamation : « Quel beau brin de fille! » Mais avec les années, l'embonpoint élaboré par une vie tranquille et sage s'était insensiblement si mal réparti sur ce corps, qu'il en avait détruit les primitives proportions. En ce moment, aucun corset ne pouvait faire retrouver de
30 hanches à la pauvre fille, qui semblait fondue d'une seule pièce. La jeune harmonie de son corsage n'existait plus, et son ampleur excessive faisait craindre qu'en se baissant elle ne fût emportée par ces masses supérieures; mais la nature l'avait douée d'un contrepoids naturel qui rendait inutile la mensongère précaution d'une *tournure*[4]. Chez elle tout était bien vrai.
35 En se triplant, le menton avait diminué la longueur du col et gêné le port de la tête. Rose n'avait pas de rides, mais des plis; et les plaisants prétendaient que, pour ne pas se couper, elle mettait de la poudre aux articulations, ainsi qu'on jette aux enfants.

Balzac, *La Vieille fille* (« Folio », pp. 87-89).

---

3. En effet, sous l'Empire, « par entêtement de propriétaire, elle n'aurait pas non plus épousé un soldat; car elle ne prenait pas un homme pour le rendre à l'Empereur, elle voulait le garder pour elle seule ». – **4.** La tournure est un rembourrage porté sous la robe, au bas du dos.

Guide d'analyse

1. **Vocabulaire.**
   Expliquez les tournures suivantes : « Un air d'étonnement et de simplicité moutonnière »; « elle devait être bienfaisante sans grâce ».
2. **Structure du texte.**
   Étudiez la construction de ce passage et les rapports qui existent entre chacun des mouvements du texte.
3. **Le portrait du personnage.**
   Précisez ce que le portrait physique révèle des dispositions de Rose Cormon.
4. **Le regard du romancier.**
   Caractérisez le ton de la page. Relevez les traits par lesquels Balzac mêle ironie et indulgence, moquerie et sympathie.

2. Description du milieu

Le Père Goriot : La salle à manger de la pension Vauquer

Le Père Goriot *(1835) s'ouvre sur la très célèbre description de la pension Vauquer. Balzac, adoptant le point de vue d'un visiteur, dépeint les lieux à grand renfort de « détails vrais » qui révèlent une misère honteuse et signifient une médiocrité sordide et irrespirable – en accord avec le personnage de la propriétaire. Ce sera là le cadre des aventures que connaîtront les personnages – de l'étudiant provincial pauvre (Rastignac) au vieillard ruiné (Goriot) et à l'ancien forçat (Vautrin). Mais ce lieu n'est pas le simple décor du drame : non seulement il le reflète, le matérialise et l'explique, mais il y est aussi intimement associé, le roman pouvant se lire également comme le récit de la chute de la pension Vauquer.*

Cette salle, entièrement boisée, fut jadis peinte en une couleur indistincte aujourd'hui, qui forme un fond sur lequel la crasse a imprimé ses couches de manière à y dessiner des figures bizarres. Elle est plaquée de buffets gluants sur lesquels sont des carafes échancrées, ternies, des ronds
5 de moiré métallique[1], des piles d'assiettes en porcelaine épaisse, à bords bleus, fabriquées à Tournai. Dans un angle est placée une boîte à cases numérotées qui sert à garder les serviettes, ou tachées ou vineuses[2], de chaque pensionnaire. Il s'y rencontre de ces meubles indestructibles, proscrits partout, mais placés là comme le sont les débris de la civilisation
10 aux Incurables[3]. Vous y verriez un baromètre à capucin qui sort quand il pleut, des gravures exécrables qui ôtent l'appétit, toutes encadrées en bois noir verni à filets dorés; un cartel en écaille incrustée de cuivre; un poêle vert, des quinquets d'Argand[4] où la poussière se combine avec l'huile, une longue table couverte en toile cirée assez grasse pour qu'un facétieux
15 externe[5] y écrive son nom en se servant de son doigt comme de style, des chaises estropiées, de petits paillassons piteux en sparterie[6] qui se déroule

1. Ronds de fer-blanc à l'aspect moiré (à la suite d'un traitement chimique). – **2.** La saleté est contagieuse (comme le « typhus »). De la pièce et du mobilier, elle s'étend à tous les objets de la pension. – **3.** Hospices où l'on accueillait des malades et des indigents. – **4.** Lampes à huile. – **5.** Pensionnaire non logé. – **6.** Fibres végétales vannées ou tissées.

toujours sans se perdre jamais, puis des chaufferettes misérables à trous cassés, à charnières défaites, dont le bois se carbonise. Pour expliquer combien ce mobilier est vieux, crevassé, pourri, tremblant, rongé, manchot, borgne, invalide, expirant[7], il faudrait en faire une description qui retarderait trop l'intérêt de cette histoire, et que les gens pressés ne pardonneraient pas. Le carreau rouge est plein de vallées produites par le frottement ou par les mises en couleur. Enfin, là règne la misère sans poésie; une misère économe, concentrée, râpée. Si elle n'a pas de fange encore, elle a des taches; si elle n'a ni trous ni haillons, elle va tomber en pourriture. [...]

Bientôt la veuve se montre, attifée de son bonnet de tulle sous lequel pend un tour de faux cheveux mal mis, elle marche en traînassant ses pantoufles grimacées. Sa face vieillotte, grassouillette, du milieu de laquelle sort un nez à bec de perroquet, ses petites mains potelées, sa personne dodue comme un rat d'église, son corsage trop plein et qui flotte, sont en harmonie avec cette salle où suinte le malheur, où s'est blottie la spéculation, et dont Mme Vauquer respire l'air chaudement fétide sans en être écœurée[8]. Sa figure fraîche comme une première gelée d'automne, ses yeux ridés, dont l'expression passe du sourire prescrit aux danseuses à l'amer renfrognement de l'escompteur, enfin toute sa personne explique la pension, comme la pension implique sa personne. Le bagne ne va pas sans l'argousin[9], vous n'imagineriez pas l'un sans l'autre. L'embonpoint blafard de cette petite femme est le produit de cette vie, comme le typhus est la conséquence des exhalaisons d'un hôpital[10]. Son jupon de laine tricotée, qui dépasse sa première jupe faite avec une vieille robe, et dont la ouate s'échappe par les fentes de l'étoffe lézardée, résume le salon, la salle à manger, le jardinet, annonce la cuisine et fait pressentir les pensionnaires. Quand elle est là, ce spectacle est complet.

Balzac, *Le Père Goriot* (« Folio », pp. 27-29).

---

7. Accumulation satirique, à la manière de Rabelais, de termes signifiant l'usure et la dégradation. – **8.** Le contraste entre la misère « râpée » de la pièce et la personne épanouie de la propriétaire est suggestif : Madame Vauquer puise son aliment dans ce milieu, spécule sur la misère. – **9.** Bas officier des bagnes. Cette allusion peut annoncer l'identité véritable de Vautrin. – **10.** A l'image du bagne succède celle de l'hôpital – lieux clos et étouffants.

Guide d'analyse

1. Mettez en évidence les correspondances qui s'établissent d'un texte à l'autre entre le milieu et le personnage.

2. Examinez la technique balzacienne de la description et analysez-en les procédés.

3. Étudiez les termes qui relèvent du champ lexical de la « misère sans poésie ».

4. Montrez que le réalisme balzacien ne réside pas seulement dans les descriptions minutieuses mais aussi dans la manifestation des forces qui gouvernent l'existence humaine.

Eugénie Grandet : « La maison à M. Grandet »

Si avec la pension Vauquer du Père Goriot *Balzac évoquait un cadre typiquement parisien – notant par là le phénomène social de la multiplication après 1815 de ces maisons bourgeoises et misérables où se côtoyaient à la table d'hôte étudiants, célibataires, personnages ruinés – il choisit de peindre dans* Eugénie Grandet *(1833) un cadre provincial par excellence. De « certaines villes de province » à la rue de Saumur « qui mène au château » et au logis de Grandet, telle est l'approche des lieux que nous propose encore le romancier. Il conviendra là aussi de déceler les correspondances qui unissent la demeure et son propriétaire, et d'apprécier les liens étroits entre la peinture du milieu et le récit du drame.*

Il se trouve dans certaines villes de province des maisons dont la vue inspire une mélancolie égale à celle que provoquent les cloîtres les plus sombres, les landes les plus ternes ou les ruines les plus tristes. Peut-être y a-t-il à la fois dans ces maisons et le silence du cloître et l'aridité des landes
5 et les ossements des ruines : la vie et le mouvement y sont si tranquilles qu'un étranger les croirait inhabitées, s'il ne rencontrait tout à coup le regard pâle et froid d'une personne immobile dont la figure à demi monastique dépasse l'appui de la croisée, au bruit d'un pas inconnu[1]. Ces

1. Dans le *Préambule des premières éditions* (1833-1839), Balzac souligne les difficultés que rencontrent les « peintres littéraires » de la province « pour rendre des figures, au premier aspect peu colorées, mais dont les détails et les demi-teintes sollicitent les plus savantes touches du pinceau ; pour restituer à ces tableaux leurs ombres grises et leur clair-obscur ».

principes de mélancolie existent dans la physionomie d'un logis situé à
10 Saumur, au bout de la rue montueuse qui mène au château, par le haut de la ville. Cette rue, maintenant peu fréquentée, chaude en été, froide en hiver, obscure en quelques endroits, est remarquable par la sonorité de son petit pavé caillouteux, toujours propre et sec, par l'étroitesse de sa voie tortueuse, par la paix de ses maisons qui appartiennent à la vieille
15 ville, et que dominent les remparts. Des habitations trois fois séculaires y sont encore solides quoique construites en bois, et leurs divers aspects contribuent à l'originalité qui recommande cette partie de Saumur à l'attention des antiquaires[2] et des artistes. [...]

Il est maintenant facile de comprendre toute la valeur de ce mot, la
20 maison à M. Grandet, cette maison pâle, froide, silencieuse, située en haut de la ville, et abritée par les ruines des remparts. Les deux piliers et la voûte formant la baie de la porte avaient été, comme la maison, construits en tuffeau, pierre blanche particulière au littoral de la Loire, et si molle que sa durée moyenne est à peine de deux cents ans. Les trous iné-
25 gaux et nombreux que les intempéries du climat y avaient bizarrement pratiqués donnaient au cintre[3] et aux jambages[4] de la baie l'apparence des pierres vermiculées[5] de l'architecture française et quelque ressemblance avec le porche d'une geôle. Au-dessus du cintre régnait un long bas-relief de pierre dure sculptée, représentant les quatre Saisons, figures
30 déjà rongées et toutes noires. Ce bas-relief était surmonté d'une plinthe[6] saillante, sur laquelle s'élevaient plusieurs de ces végétations dues au hasard, des pariétaires jaunes, des liserons, des convolvulus, du plantain, et un petit cerisier assez haut déjà. La porte, en chêne massif, brune, desséchée, fendue de toutes parts, frêle en apparence était solidement main-
35 tenue par le système de ses boulons qui figuraient des dessins symétriques. Une grille carrée, petite, mais à barreaux serrés et rouges de rouille, occupait le milieu de la porte bâtarde[7] et servait, pour ainsi dire, de motif à un marteau qui s'y rattachait par un anneau, et frappait sur la tête grimaçante d'un maître clou. Ce marteau, de forme oblongue et du genre de
40 ceux que nos ancêtres nommaient jacquemart[8], ressemblait à un gros point d'admiration[9]; en l'examinant avec attention, un antiquaire y aurait retrouvé quelques indices de la figure essentiellement bouffonne

2. Amateurs des vestiges du passé. – **3.** Courbure en arc de cercle d'une voûte. – **4.** Montants verticaux d'une baie de porte. – **5.** Ornées de petites stries sinueuses. – **6.** Moulure plate qui se place sous une colonne, une statue ou au-dessus d'un chapiteau. – **7.** Porte ménagée pour les piétons dans une porte cochère. – **8.** Figure de métal ou de bois sculpté représentant un homme d'armes muni d'un marteau. – **9.** Point d'exclamation.

qu'il représentait jadis, et qu'un long usage avait effacée[10]. Par la petite grille, destinée à reconnaître les amis, au temps des guerres civiles, les
45 curieux pouvaient apercevoir, au fond d'une voûte obscure et verdâtre, quelques marches dégradées par lesquelles on montait dans un jardin que bornaient pittoresquement des murs épais, humides, pleins de suintements et de touffes d'arbustes malingres.

Balzac, *Eugénie Grandet* (« Folio », pp. 19, 32).

---

10. Sur la signification symbolique de cet élément d'architecture, voir le *Préambule*.

Guide d'analyse

1. Montrez que la description précise du cadre n'exclut nullement la suggestion d'une atmosphère. Quel est le pouvoir d'évocation des images, à l'ouverture du livre?

2. Précisez la signification qui se dégage de cette peinture et soulignez ce qui s'y inscrit.

3. Définissez d'après ce texte ce qui constitue aux yeux de Balzac les traits caractéristiques de la province.

La vie provinciale

« Aucun poète n'a tenté de décrire les phénomènes de cette vie qui s'en va, s'adoucissant toujours. Pourquoi non? S'il y a de la poésie dans l'atmosphère de Paris, où tourbillonne un simoun qui enlève les fortunes et brise les cœurs, n'y en a-t-il donc pas aussi, dans la lente action du sirocco de l'atmosphère provinciale, qui détend les plus fiers courages, relâche les fibres et désarme les passions de leur acutesse? Si tout arrive à Paris, tout passe en province : là, ni relief, ni saillie; mais là, des drames dans le silence; là, des mystères habilement dissimulés. »

Eugénie Grandet, Préambule des premières éditions.

3. Peinture de la société

Illusions perdues : La société parisienne

Dans Illusions perdues *(II, 1839) « le grand homme de province » subissant l'attraction irrésistible qu'exerce la capitale sur la jeunesse de l'époque, connaît les premières souffrances de la confrontation au réel – déceptions amoureuses, difficultés matérielles... S'il veut d'abord, comme Balzac lui-même, conquérir, à force d'études et de travail, la gloire, il renonce vite à ses ambitions littéraires; rejetant les nobles principes du Cénacle – acceptation des infortunes présentes, désir de mériter, par un labeur fécond et une intégrité morale parfaite, la célébrité future – il s'abandonne à des forces contraires et, cédant aux propositions d'Étienne Lousteau, il se compromet dans le journalisme.*

Lucien de Rubempré fait ainsi l'expérience du monde des lettres et de la presse et, fort de succès immédiats et éphémères, il peut affronter la société parisienne et pénétrer dans le milieu aristocratique du faubourg Saint-Germain. « Initié aux trahisons et aux perfidies du journalisme, il ignorait celles du monde; aussi, malgré sa perspicacité, devait-il y recevoir de rudes leçons. »

Le réalisme balzacien n'est donc pas seulement descriptif; document-image de la France sous la Restauration, ce texte signifie et révèle certaines tensions : problème de la jeunesse et de sa place dans le monde moderne, problème de la noblesse et de son rôle dans la société.

« Il a, je suis sûr, dit Blondet[1], tiré à pile ou face pour la Gauche ou la Droite; mais il va maintenant choisir. »

Lucien se mit à rire en se souvenant de sa scène au Luxembourg avec Lousteau[2].

5 « Il a pris pour cornac[3], dit Blondet en continuant, un Étienne Lousteau, un bretteur[4] de petit journal qui voit une pièce de cent sous dans une colonne, dont la politique consiste à croire au retour de Napoléon, et, ce qui me semble encore plus niais, à la reconnaissance, au patriotisme de messieurs du Côté gauche. Comme Rubempré, les penchants de 10 Lucien doivent être aristocrates; comme journaliste, il doit être pour le pouvoir, ou il ne sera jamais ni Rubempré ni secrétaire général. »

---

1. Journaliste royaliste qui veut attirer Lucien dans son camp. – **2.** Lors de cette promenade au jardin du Luxembourg, Lousteau révèle au poète un moyen rapide de parvenir et l'incite à rédiger des articles dans des journaux libéraux ou royalistes. Peu importent les convictions profondes; il s'agit de se vendre au plus offrant. – **3.** Celui qui conduit un éléphant; au sens figuré, celui qui se charge d'introduire quelqu'un. – **4.** Personne qui aime se battre à l'épée.

Lucien, à qui le diplomate proposa une carte pour jouer le whist, excita la plus grande surprise quand il avoua ne pas savoir le jeu.

« Mon ami, lui dit à l'oreille Rastignac, arrivez de bonne heure chez
15 moi le jour où vous y viendrez faire un méchant déjeuner, je vous apprendrai le whist, vous déshonorez notre royale ville d'Angoulême[5], et je répéterai un mot de M. de Talleyrand en vous disant que, si vous ne savez pas ce jeu-là, vous vous préparez une vieillesse très malheureuse. »

On annonça des Lupeaulx, un maître des requêtes[6] en faveur et qui
20 rendait des services secrets au ministère, homme fin et ambitieux qui se coulait partout. Il salua Lucien avec lequel il s'était déjà rencontré chez Mme du Val-Noble, et il y eut dans son salut un semblant d'amitié qui devait tromper Lucien. En trouvant là le jeune journaliste, cet homme qui se faisait en politique ami de tout le monde, afin de n'être pris au
25 dépourvu par personne, comprit que Lucien allait obtenir dans le monde autant de succès que dans la littérature. Il vit un ambitieux en ce poète, et il l'enveloppa de protestations, de témoignages d'amitié, d'intérêt, de manière à vieillir leur connaissance et tromper Lucien sur la valeur de ses promesses et de ses paroles. Des Lupeaulx avait pour principe de bien
30 connaître ceux dont il voulait se défaire, quand il trouvait en eux des rivaux. Ainsi Lucien fut bien accueilli par le monde. Il comprit tout ce qu'il devait au duc de Rhétoré, au ministre, à Mme d'Espard, à Mme de Montcornet. Il alla causer avec chacune de ces femmes pendant quelques moments avant de partir, et déploya pour elles toute la grâce de son
35 esprit.

« Quelle fatuité! dit des Lupeaulx à la marquise quand Lucien la quitta.

– Il se gâtera avant d'être mûr », dit à la marquise de Marsay en souriant.

Balzac, *Illusions perdues*, 2ᵉ partie, « Un grand homme de province à Paris » (« Folio II », pp. 405-406).

5. Rastignac et Lucien sont tous deux originaires d'Angoulême. – 6. Au Conseil d'État.

Guide d'analyse

1. Marquez les différents moments du texte. A quoi correspondent-ils? Quel est l'effet produit par les deux sentences finales?

2. Étudiez l'évocation du « monde » parisien. Définissez-en les ressorts et dégagez-en les lois. Comment interprétez-vous la confrontation de Lucien à la société aristocratique? En quoi le dénouement est-il annoncé dans ce passage? Où pouvez-vous voir la trace de ce que Pierre Barbéris appelle le « complexe de roturier » de Balzac, vis-à-vis de ce monde sans lequel il n'est pas de « sacre social »?

3. Précisez quelle réalité politique Balzac exprime au travers des personnages et de l'aventure romanesques.

Le bal de l'Opéra, vers 1840, par E. Guérard. Paris, Musée Carnavalet.

Splendeurs et misères des courtisanes : Le bal de l'Opéra

Splendeurs et misères des courtisanes *(I, 1839) s'ouvre sur l'évocation célèbre du bal de l'Opéra. Au moment du Carnaval en effet, avaient lieu à l'Opéra (alors rue Le Peletier) des bals où affluaient des gens appartenant à toutes les couches de la société.*

*C'est à l'occasion de ces fêtes que reparaît dans le monde parisien un jeune homme dont Balzac dissimule encore l'identité (en qui on reconnaîtra Lucien de Rubempré, le héros d'*Illusions perdues*), escorté par un masque mystérieux (qui se révélera être Carlos Herrera, son protecteur).*

En 1824, au dernier bal de l'Opéra, plusieurs masques furent frappés de la beauté d'un jeune homme qui se promenait dans les corridors et dans le foyer, avec l'allure des gens en quête d'une femme retenue au logis par des circonstances imprévues. Le secret de cette démarche, tour à tour indolente et pressée, n'est connu que des vieilles femmes et de quelques flâneurs émérites. Dans cet immense rendez-vous, la foule observe peu la foule, les intérêts sont passionnés, le Désœuvrement lui-même est préoccupé. Le jeune dandy était si bien absorbé par son inquiète recherche, qu'il ne s'apercevait pas de son succès : les exclamations railleusement admiratives de certains masques, les étonnements sérieux, les mordants lazzis[1], les plus douces paroles, il ne les entendait pas, il ne les voyait point. Quoique sa beauté le classât parmi ces personnages exceptionnels qui viennent au bal de l'Opéra pour y avoir une aventure, et qui l'attendent comme on attendait un coup heureux à la roulette quand Frascati[2] vivait, il paraissait bourgeoisement sûr de sa soirée; il devait être le héros d'un de ces mystères à trois personnages qui composent tout le bal masqué de l'Opéra, et connus seulement de ceux qui y jouent leur rôle; car, pour les jeunes femmes qui viennent afin de pouvoir dire : *J'ai vu*; pour les gens de province, pour les jeunes gens inexpérimentés, pour les étrangers, l'Opéra doit être alors le palais de la fatigue et de l'ennui. Pour eux, cette foule noire, lente et pressée, qui va, vient, serpente, tourne, retourne, monte, descend, et qui ne peut être comparée qu'à des fourmis sur leur tas de bois, n'est pas plus compréhensible que la Bourse pour un paysan bas-breton qui ignore l'existence du Grand Livre. A de rares exceptions près, à Paris, les hommes ne se masquent point : un homme en domino[3] paraît ridicule. En ceci le génie de la nation éclate. Les gens

---

1. Plaisanteries bouffonnes. – 2. La maison de jeu de Frascati était très célèbre. – 3. Costume de bal masqué consistant en une robe flottante à capuchon; le capuchon lui-même.

qui veulent cacher leur bonheur peuvent aller au bal de l'Opéra sans y venir, et les masques absolument forcés d'y entrer en sortent aussitôt. Un spectacle des plus amusants est l'encombrement que produit à la porte, 30 dès l'ouverture du bal, le flot des gens qui s'échappent aux prises avec ceux qui y montent. Donc, les hommes masqués sont des maris jaloux qui viennent espionner leurs femmes, ou des maris en bonne fortune qui ne veulent pas être espionnés par elles, deux situations également moquables. Or, le jeune homme était suivi, sans qu'il le sût, par un masque 35 assassin[4], gros et court, roulant sur lui-même comme un tonneau. Pour tout habitué de l'Opéra, ce domino trahissait un administrateur, un agent de change, un banquier, un notaire, un bourgeois quelconque en soupçon de son infidèle. En effet, dans la très haute société, personne ne court après d'humiliants témoignages. Déjà plusieurs masques s'étaient 40 montré en riant ce monstrueux personnage, d'autres l'avaient apostrophé, quelques jeunes s'étaient moqués de lui, sa carrure et son maintien annonçaient un dédain marqué pour ces traits sans portée ; il allait où le menait le jeune homme, comme va un sanglier poursuivi qui ne se soucie ni des balles qui sifflent à ses oreilles, ni des chiens qui aboient après lui.

Balzac, *Splendeurs et misères des courtisanes*, 1re partie, « Comment aiment les filles » (« Folio », pp. 37-38).

4. Balzac joue sans doute sur le double sens de l'expression : le masque est provocant (pique la curiosité) et il dissimule un assassin.

Guide d'analyse

1. Structure du texte. Étudiez le mouvement de ce passage et montrez-en l'articulation. Rapprochez les deux personnages en comparant leur description, leur effet et leur signification.

2. La foule. Analysez l'évocation de la société parisienne. Quels sont le sens et la fonction de cette fête ?

3. L'énigme. Montrez comment le masque que porte le second personnage dissimule et révèle tout à la fois. Par quels traits Balzac signale-t-il la personnalité de Vautrin et la relation étrange qui l'unit au jeune homme ?

La Femme abandonnée : Les salons provinciaux

Scène de la vie de province autant que de la vie privée, la nouvelle intitulée La Femme abandonnée *(1832) montre cette fois un jeune Parisien, Gaston de Nueil venu séjourner en Normandie. Au début de ce récit consacré à sa liaison avec Claire de Beauséant, Balzac dépeint, en opposition sous-jacente avec le faubourg Saint-Germain auquel appartient le personnage, la « société » de Bayeux – les salons rivaux de l'aristocratie ancienne mais désargentée et de la noblesse plus récente, voire de la haute bourgeoisie riche – et suggère la monotonie, l'inanité et l'ennui de la vie provinciale.*

C'était d'abord la famille dont la noblesse, inconnue à cinquante lieues plus loin, passe, dans le département, pour incontestable et de la plus haute antiquité. Cette espèce de *famille royale* au petit pied effleure par ses alliances, sans que personne s'en doute, les Navarreins, les Grandlieu, 5 touche aux Cadignan, et s'accroche aux Blamont-Chauvry. Le chef de cette race illustre est toujours un chasseur déterminé. Homme sans manières, il accable tout le monde de sa supériorité nominale; tolère le sous-préfet, comme il souffre l'impôt; n'admet aucune des puissances nouvelles créées par le dix-neuvième siècle, et fait observer, comme une 10 monstruosité politique, que le premier ministre n'est pas gentilhomme. Sa femme a le ton tranchant, parle haut, a eu des adorateurs, mais fait régulièrement ses pâques; elle élève mal ses filles, et pense qu'elles seront toujours assez riches de leur nom. La femme et le mari n'ont d'ailleurs aucune idée du luxe actuel : ils gardent les livrées de théâtre, tiennent aux 15 anciennes formes pour l'argenterie, les meubles, les voitures, comme pour les mœurs et le langage. Ce vieux faste s'allie d'ailleurs assez bien avec l'économie des provinces. Enfin c'est les gentilshommes d'autrefois, moins les lods et ventes[1], moins la meute et les habits galonnés; tous pleins d'honneur entre eux, tous dévoués à des princes qu'il ne voient 20 qu'à distance. Cette maison historique *incognito* conserve l'originalité d'une antique tapisserie de haute lice[2]. Dans la famille végète infailliblement un oncle ou un frère, lieutenant général, cordon rouge[3], homme de cour, qui est allé en Hanovre avec le maréchal de Richelieu, et que vous retrouvez là comme le feuillet égaré d'un vieux pamphlet du temps de 25 Louis XV.

1. Droit de mutation entre vifs perçu par le seigneur. – **2.** Tapisserie exécutée sur un métier vertical, comme cela se pratiquait aux Gobelins. – **3.** Sous l'Ancien Régime, insigne des chevaliers de l'ordre de Saint-Louis.

A cette famille fossile s'oppose une famille plus riche, mais de noblesse moins ancienne. Le mari et la femme vont passer deux mois d'hiver à Paris, ils en rapportent le ton fugitif et les passions éphémères. Madame est élégante, mais un peu guindée et toujours en retard avec les modes.
30 Cependant elle se moque de l'ignorance affectée par ses voisins; son argenterie est moderne; elle a des grooms, des nègres, un valet de chambre. Son fils aîné a tilbury, ne fait rien, il a un majorat; le cadet est auditeur au Conseil d'État. Le père, très au fait des intrigues du ministère, raconte des anecdotes sur Louis XVIII et Mme du Cayla[4], il place dans le
35 *cinq pour cent*[5], évite la conversation sur les cidres, mais tombe encore parfois dans la manie de rectifier le chiffre des fortunes départementales; il est membre du conseil général, se fait habiller à Paris, et porte la croix de la Légion d'honneur[6]. Enfin ce gentilhomme a compris la Restauration, et bat monnaie à la Chambre; mais son royalisme est moins pur que
40 celui de la famille avec laquelle il rivalise. Il reçoit *La Gazette* et les *Débats*. L'autre famille ne lit que *La Quotidienne*[7].

Monseigneur l'évêque, ancien vicaire général, flotte entre ces deux puissances qui lui rendent les honneurs dus à la religion, mais en lui faisant sentir parfois la morale que le bon La Fontaine a mise à la fin de
45 *L'Ane chargé de reliques*[8]. Le bonhomme est roturier.

Balzac, *La Femme abandonnée* (« Folio », pp. 118-119).

---

4. Favorite de Louis XVIII. Cette liaison avait donné lieu à des rumeurs scabreuses que ce personnage répète fort irrespectueusement. – **5.** Au début du XIXe siècle, la rente passait pour un placement sûr. – **6.** Ordre créé par Bonaparte en 1802. – **7.** Journal des royalistes ultras que lit également le marquis d'Esgrignon du *Cabinet des Antiques*, autre personnage « fossile », figure ridicule et sublime appartenant à un passé révolu. *La Gazette* et les *Débats* sont un peu plus modérés. – **8.** La Fontaine, *Fables*, Livre V, fable 14 « L'Ane portant des reliques. » :
« D'un magistrat ignorant
C'est la robe qu'on salue. »

Guide d'analyse

1. Quelles réalités sociales observées et décrites par Balzac apparaissent ici ?

2. Analysez la structure, le style et le ton de ce portrait des mœurs du temps. Dans quelle lignée d'écrivains Balzac s'inscrit-il par là, et de qui s'inspire-t-il ?

3. Étudiez comment, dans *La Comédie humaine,* d'autres personnages de Parisiens (Charles Grandet dans *Eugénie Grandet,* Émile Blondet dans *Les Paysans*...) voient et nous donnent à voir la province.

Les Paysans : La bourgeoisie de Soulanges

Face à une aristocratie trop souvent fossilisée, fermée aux réalités nouvelles et ne jouant plus aucun rôle dans le monde moderne, la bourgeoisie, elle, représente une force montante, qui possède les capitaux et veut s'emparer du pouvoir. Dans ses dernières œuvres, écrites à la fin de la Monarchie de Juillet, Balzac nous montre l'accomplissement du processus qui s'amorçait dans ses livres précédents : l'aristocratie s'efface tandis que la bourgeoisie triomphe — en même temps peut-être que se dessine une menace populaire. Dans son roman inachevé Les Paysans *(1844), Balzac décrit le conflit qui oppose le général de Montcornet, propriétaire des Aigues, et la bourgeoisie locale, à laquelle se sont joints les paysans, qu'elle manipule, exploite et utilise à ses fins. Dans ce texte est dépeinte « la première société de Soulanges », réunie chez Madame Soudry, la mairesse, membre — aux côtés de Gaubertin l'ancien intendant tout-puissant par ses relations et de Rigou, « l'usurier des campagnes » — de la conspiration qui chassera Montcornet, rasera le château et morcellera le domaine.*

Cette bourgeoisie de province, si grassement satisfaite d'elle-même, pouvait donc primer toutes les supériorités sociales. Aussi l'imagination de ceux qui, dans leur vie, ont habité pendant quelque temps une petite ville de ce genre, peut-elle seule entrevoir l'air de satisfaction profonde 5 répandu sur les physionomies de ces gens qui se croyaient le plexus solaire de la France, tous armés d'une incroyable finesse pour mal faire, et qui, dans leur sagesse, avaient décrété que l'un des héros d'Essling[1] était un lâche, que Mme de Montcornet était une intrigante qui avait de gros boutons dans le dos, que l'abbé Brossette[2] était un petit ambitieux, et qui 10 découvrirent, quinze jours après l'adjudication des Aigues, l'origine faubourienne du général, surnommé par eux le Tapissier[3].

Si Rigou, Soudry, Gaubertin eussent habité tous La-Ville-aux-Fayes, ils se seraient brouillés; leurs prétentions se seraient inévitablement heurtées; mais la fatalité voulait que le Lucullus de Blangy[4] sentît la nécessité

1. Le général de Montcornet, propriétaire des Aigues, commandait les cuirassiers au combat d'Essling en 1809. — **2.** Abbé qui réside au château. — **3.** Voir dans *A la Recherche du temps perdu*, l'opposition entre « le petit clan des Verdurin » *(Du Côté de chez Swann, Un Amour de Swann)*, et le Salon des Guermantes. Mais si Balzac, en montrant la montée du capitalisme et l'avènement de la « médiocratie », se fait l'historien d'une mutation sociale profonde, Proust, en évoquant l'ascension de Madame Verdurin et la fusion des milieux bourgeois et aristocratiques, apparaît plutôt comme le témoin désenchanté et le chroniqueur d'un monde en déclin. — **4.** « Profond comme un moine, silencieux comme un bénédictin en travail d'histoire, rusé comme un prêtre, dissimulé comme tout avare, se tenant dans les limites du droit, toujours en règle, cet homme eût été Tibère à Rome, Richelieu sous Louis XIII, Fouché s'il avait eu l'intention d'aller à la Convention ; mais il eut la sagesse d'être un Lucullus sans faste, un voluptueux avare. »

15 de sa solitude pour se rouler à son aise dans l'usure et dans la volupté; que Mme Soudry fût assez intelligente pour comprendre qu'elle ne pouvait régner qu'à Soulanges, et que La-Ville-aux-Fayes fût le siège des affaires de Gaubertin. Ceux qui s'amusent à étudier la nature sociale avoueront que le général de Montcornet jouait de malheur en trouvant de tels 20 ennemis séparés et accomplissant les évolutions de leur pouvoir et de leur vanité, chacun à des distances qui ne permettaient pas à ces astres de se contrarier et qui décuplaient le pouvoir de mal faire.

Néanmoins, si tous ces dignes bourgeois, fiers de leur aisance, regardaient leur société comme bien supérieure en agrément à celle de 25 La-Ville-aux-Fayes, et répétaient avec une comique importance ce dicton de la vallée : « Soulanges est une ville de plaisir et de société », il serait peu prudent de penser que la capitale avonnaise acceptât cette suprématie. Le salon Gaubertin se moquait, *in petto*[5], du salon Soudry. A la manière dont Gaubertin disait : « Nous autres, nous sommes une ville de haut 30 commerce, une ville d'affaires, nous avons la sottise de nous ennuyer à faire fortune ! », il était facile de reconnaître un léger antagonisme entre la terre et la lune. La lune se croyait utile à la terre et la terre régentait la lune. La terre et la lune vivaient d'ailleurs dans la plus étroite intelligence. Au carnaval, la première société de Soulanges allait toujours en masse 35 aux quatre bals donnés par Gaubertin, par Gendrin, par Leclercq, le receveur des finances, et par Soudry jeune, le procureur du Roi. Tous les dimanches le procureur du Roi, sa femme, M., Mme et Mlle Élise Gaubertin, venaient dîner chez les Soudry de Soulanges. Quand le sous-préfet était prié, quand le maître de poste, M. Guerbet de Couches, arri-40 vait manger la fortune du pot[6], Soulanges avait le spectacle de quatre équipages départementaux à la porte de la maison Soudry.

Balzac, *Les Paysans*, 2e partie (« Folio », pp. 329-330).

---

5. A part soi; intérieurement. – 6. Sans façon.

Guide d'analyse

1. Précisez quel conflit de « classes » Balzac évoque ici.
2. Étudiez les caractères de la « médiocratie » – néologisme formé par Balzac, qui signifie « gouvernement des classes moyennes », mais qui se charge de la connotation dépréciative de « gouvernement des médiocres ».
3. Caractérisez le ton de cette page. Que pouvez-vous en déduire des intentions de l'auteur ?

Une partie de whist en province. Illustration d'un roman de Balzac, milieu XIXe siècle.

Documentation, essais, recherches

1. Dans *Facino Cane* (1836), Balzac évoquant sa jeunesse, écrit :

« Une seule passion m'entraînait en dehors de mes habitudes studieuses; mais n'était-ce pas encore de l'étude? j'allais observer les mœurs du faubourg, ses habitants et leurs caractères. [...]

Chez moi l'observation était déjà devenue intuitive, elle pénétrait l'âme sans négliger le corps; ou plutôt elle saisissait si bien les détails extérieurs, qu'elle allait sur-le-champ au-delà; elle me donnait la faculté de vivre de la vie de l'individu sur laquelle elle s'exerçait, en me permettant de me substituer à lui comme le derviche des *Mille et une Nuits* prenait le corps et l'âme des personnes sur lesquelles il prononçait certaines paroles. »

Vous étudierez les rapports qui s'établissent entre l'observation et l'imagination et vous analyserez, d'après ce texte, la démarche créatrice du romancier.

2. Recherchez dans *La Comédie humaine* des exemples de portraits ou de descriptions. Par une étude comparée de ces différents textes, vous tenterez de définir les principes selon lesquels Balzac les construit, la signification dont il les charge et la fonction qu'il leur assigne.

3. Engels, théoricien politique allemand ami de Marx, déclarait, dans sa *Lettre à Margaret Harkness* (1888), « [avoir] plus appris [dans *La Comédie humaine*] que dans tous les livres des historiens, statisticiens professionnels de l'époque pris ensemble ».

Vous commenterez cette opinion, en précisant quels aspects politiques, économiques et sociaux de la France de la première moitié du XIXe siècle sont révélés dans l'œuvre de Balzac.

LECTURES MODERNES

Hommage à Balzac

M. de Balzac faisait partie de cette puissante génération des écrivains du dix-neuvième siècle qui est venue après Napoléon, de même que l'illustre pléiade du dix-septième est venue après Richelieu – comme si, dans le développement de la civilisation, il y avait une loi qui fît succéder aux dominateurs par le glaive les dominateurs par l'esprit.

M. de Balzac était un des premiers parmi les plus grands, un des plus hauts parmi les meilleurs. Ce n'est pas le lieu de dire ici tout ce qu'était cette splendide et souveraine intelligence.

Tous ses livres ne forment qu'un livre, livre vivant, lumineux, profond, où l'on voit aller et venir et marcher et se mouvoir, avec je ne sais quoi d'effaré et de terrible mêlé au réel, toute notre civilisation contemporaine; livre merveilleux que le poète a intitulé comédie et qu'il aurait pu intituler histoire, qui prend toutes les formes et tous les styles, qui dépasse Tacite et qui va jusqu'à Suétone, qui traverse Beaumarchais et qui va jusqu'à Rabelais; livre qui est l'observation et qui est l'imagination; qui prodigue le vrai, l'intime, le bourgeois, le trivial, le matériel, et qui par moments, à travers toutes les réalités brusquement et largement déchirées, laisse tout à coup entrevoir le plus sombre et le plus tragique idéal.

A son insu, qu'il le veuille ou non, qu'il y consente ou non, l'auteur de cette œuvre immense et étrange est de la forte race des écrivains révolutionnaires. Balzac va droit au but. Il saisit corps à corps la société moderne. Il arrache à tous quelque chose, aux uns l'illusion, aux autres l'espérance, à ceux-ci un cri, à ceux-là un masque. Il fouille le vice, il dissèque la passion. Il creuse et sonde l'homme, l'âme, le cœur, les entrailles, le cerveau, l'abîme que chacun a en soi. Et, par un don de sa libre et vigoureuse nature, par un privilège des intelligences de notre temps qui, ayant vu de près les révolutions, aperçoivent mieux la fin de l'humanité et comprennent mieux la providence, Balzac se dégage souriant et serein de ces redoutables études qui produisaient la mélancolie chez Molière et la misanthropie chez Rousseau.

Victor Hugo, *Discours au Père-Lachaise,* 21 août 1850.

Balzac vers 1840, par Gavarni.

UN RÉALISME VISIONNAIRE

« J'ai mainte fois été étonné que la grande gloire de Balzac fût de passer pour un observateur ; il m'avait toujours semblé que son principal mérite était d'être visionnaire. » ...

Baudelaire, *Théophile Gautier.*

STYLISATION DU RÉEL

La création littéraire ne peut évidemment se réduire à l'existence qui l'inspire ; réalisme ne signifie pas reproduction de la réalité. Balzac n'est pas un simple observateur des espèces sociales qui décrirait en toute objectivité diverses expériences, mais un écrivain qui transfigure, stylise le réel et construit son propre univers. D'ailleurs, dans l'*Avant-propos* de 1842, il souligne lui-même le travail de l'imagination créatrice, qui choisit des fragments nombreux de la réalité, les associe en un ensemble ordonné, et les élève en une synthèse cohérente. En ce sens, personnages, caractères, cadres et situations, loin de trouver leur modèle propre dans la nature, sont composés d'éléments épars dans la réalité et résultent d'opérations de l'esprit – dédoublement, opposition... C'est ainsi un monde grossi, dramatisé, aux traits accusés, aux contrastes appuyés que le romancier donne à voir, c'est un monde où tout est devenu signifiant, où la contingence s'est muée en nécessité.

DES PERSONNAGES ET DES LIEUX SYMBOLIQUES

Le personnage peut se trouver élevé jusqu'au symbole. En effet Balzac entend créer des figures représentatives des divers sentiments et comportements humains – qu'il appelle des types (moraux, sociaux ou philosophiques). De ce fait, le personnage, quelque individualisé qu'il soit, se leste au cours du roman à la faveur d'interventions successives ou de situations nouvelles, d'une signification qui le dépasse, et acquiert des proportions surhumaines. Les héros de *La Comédie humaine*, conçus pour « exprimer la nature »[1] selon l'expression de Balzac, incarnant différents aspects de l'existence et porteurs de sens, prennent ainsi une dimension mythique. Goriot par exemple, ancien vermicellier pensionnaire de Madame Vauquer, enrichi sous la Révolution mais appauvri par ses filles, devient peu à peu l'image du Père sacrifié et supplicié par ses enfants et apparaît dans la mythologie balzacienne comme « le Christ de la paternité »[2].

De même le milieu et le cadre peuvent eux aussi revêtir, par-delà leur pesanteur et leur présence concrètes, une valeur symbolique. Le lieu qui se prête le mieux à cet investissement mythologique est sans nul doute Paris. Ainsi, dans les trois récits qui composent *L'Histoire des Treize (Ferragus, La Duchesse de Langeais* et *La Fille aux yeux d'or)*, la capitale apparaît comme un gouffre fascinant et horrifiant à la fois qui attire irrésistiblement l'homme supérieur et où viennent se perdre les ambitions et les illusions, comme la Babylone moderne, comme une cité infernale où les êtres ne sont mus que par la soif de l'or et du plaisir poussé jusqu'à l'atrocité.

UN RÉALISME MYTHOLOGIQUE

Aussi convient-il en définitive de parler de réalisme mythologique puisque au travers de l'observation du réel, Balzac signifie symboliquement certains aspects de l'existence – réalisme qui n'exclut nullement la présence et la confidence du moi car derrière une impersonnalité et une objectivité apparentes l'œuvre révèle la vision du monde propre à son auteur, la création exprime les conceptions et les obsessions du créateur.

---

1. *Le Chef-d'œuvre inconnu.* – **2.** *Le Père Goriot.*

1. De l'individu au type et au symbole

La Duchesse de Langeais : L'aristocratie sous la Restauration

*Dans le deuxième épisode de l'*Histoire des Treize *(1834-1835), Balzac met en scène le personnage de la duchesse de Langeais et conte les amours pathétiques de cette coquette du faubourg Saint-Germain et du général d'Empire, Armand de Montriveau. Or, l'héroïne, figure individualisée de ce drame particulier, est élevée à la dimension d'un type général et devient l'image de la noblesse sous la Restauration. Dans les premières pages de son œuvre, Balzac, en un pastiche des mémorialistes du XVIIe siècle, nous propose un portrait brillant et acéré de cette grande dame, en qui s'expriment parfaitement les vices et les maux d'une classe qui dégénère en caste, se sclérose en refusant de s'ouvrir aux talents modernes et, autrefois aristocratie de droit, n'est plus qu'aristocratie de fait.*

Au commencement de la vie éphémère que mena le faubourg Saint-Germain pendant la Restauration, et à laquelle, si les considérations précédentes sont vraies[1], il ne sut pas donner de consistance, une jeune femme fut passagèrement le type le plus complet de la nature à la fois
5 supérieure et faible, grande et petite, de sa caste. C'était une femme artificiellement instruite, réellement ignorante ; pleine de sentiments élevés, mais manquant d'une pensée qui les coordonnât ; dépensant les plus riches trésors de l'âme à obéir aux convenances ; prête à braver la société, mais hésitant et arrivant à l'artifice par suite de ses scrupules ; ayant plus
10 d'entêtement que de caractère, plus d'engouement que d'enthousiasme, plus de tête que de cœur ; souverainement femme et souverainement coquette, Parisienne surtout ; aimant l'éclat, les fêtes ; ne réfléchissant pas, ou réfléchissant trop tard ; d'une imprudence qui arrivait presque à de la poésie ; insolente à ravir, mais humble au fond du cœur ; affichant la
15 force comme un roseau bien droit, mais, comme ce roseau, prête à fléchir sous une main puissante ; parlant beaucoup de la religion, mais ne l'aimant pas, et cependant prête à l'accepter comme un dénouement[2].

1. Dans le tableau du faubourg Saint-Germain, Balzac a montré que l'aristocratie, sous la Restauration, ne sut pas imposer son ordre à la nation. – 2. Voir le dénouement évoqué dans les premières pages du livre : la duchesse qui a préféré la société à l'amour et la tradition à l'avenir, comprenant trop tard son erreur, ira s'enfermer dans un couvent.

Comment expliquer une créature véritablement multiple, susceptible d'héroïsme, et oubliant d'être héroïque pour dire une méchanceté; jeune et suave, moins vieille de cœur que vieillie par les maximes de ceux qui l'entouraient, et comprenant leur philosophie égoïste sans l'avoir appliquée; ayant tous les vices du courtisan et toutes les noblesses de la femme adolescente; se défiant de tout, et néanmoins se laissant parfois aller à tout croire? Ne serait-ce pas toujours un portrait inachevé que celui de cette femme en qui les teintes les plus chatoyantes se heurtaient, mais en produisant une confusion poétique, parce qu'il y avait une lumière divine, un éclat de jeunesse qui donnait à ces traits confus une sorte d'ensemble? La grâce lui servait d'unité. Rien n'était joué. Ces passions, ces demi-passions, cette velléité de grandeur, cette réalité de petitesse, ces sentiments froids et ces élans chaleureux étaient naturels et ressortaient de sa situation autant que de celle de l'aristocratie à laquelle elle appartenait. Elle se comprenait toute seule et se mettait orgueilleusement au-dessus du monde, à l'abri de son nom. Il y avait du *moi* de Médée dans sa vie[3], comme dans celle de l'aristocratie, qui se mourait sans vouloir ni se mettre sur son séant, ni tendre la main à quelque médecin politique, ni toucher, ni être touchée, tant elle se sentait faible ou déjà poussière[4].

Balzac, *La Duchesse de Langeais* (« Folio », pp. 87-89).

---

3. Balzac fait à plusieurs reprises allusion à cette réplique de Médée dans la pièce de Corneille : « Dans un si grand revers, que vous reste-t-il ?

– Moi ;

Moi, dis-je et c'est assez. » *Médée,* Acte I, scène 5.

Mathilde de La Mole, dans *Le Rouge et le Noir* de Stendhal, reprend de même ce mot de Médée : « Eh bien! je me dirai comme Médée : Au milieu de tant de périls, il me reste Moi... » Mais si ces deux figures féminines peuvent sur certains points se rapprocher (dans leurs relations avec Montriveau et Julien Sorel), l'héroïne stendhalienne apparaît comme une exception qui tranche sur la monotonie de l'aristocratie, alors que le personnage balzacien est pleinement représentatif de sa caste. – **4.** Ce portrait spirituel et ironique est tout à fait dans le style et dans le ton du cardinal de Retz, que Balzac vient de citer précisément comme « une figure principale qui résume les vertus et les défauts de la masse à laquelle il appartient ».

Guide d'analyse

1. Étudiez les oppositions sur lesquelles est construit le portrait de la duchesse de Langeais, et par là de l'aristocratie. Dégagez-en la signification.

2. Étudiez comment l'orgueil du personnage se fait, dans le texte, le symbole de celui d'une caste. Interprétez en ce sens les relations de la duchesse et de Montriveau, fils de la Révolution et de l'Empire.

3. En vous référant également au *Cabinet des Antiques* (I, 1836), vous essaierez de préciser le jugement que porte Balzac sur l'aristocratie de son temps.

Le Colonel Chabert : La femme sans cœur

Dans Le Colonel Chabert *(1832), Balzac crée le personnage d'un ancien officier de Napoléon, donné pour mort à la bataille d'Eylau, et qui, tel un revenant, resurgit dans le monde de la Restauration. Il s'y retrouve dépouillé de ses biens et repoussé puis écrasé par Rose Chapotel, autrefois son épouse et remariée désormais au comte Ferraud. Incarnation d'une société égoïste et ingrate qui ne reconnaît plus ses serviteurs ou ses bienfaiteurs, cette dernière apparaît surtout comme « la femme sans cœur », figure clef de l'univers balzacien. Si* La Peau de chagrin *(1831), avec l'inhumaine Fœdora intronisait en quelque sorte ce mythe fondamental, nous trouvons ici un nouveau développement de ce thème : mettant en œuvre toutes les ressources de la séduction et de la simulation, la comtesse Ferraud annihilera froidement le colonel Chabert.*

Le malheur est une espèce de talisman dont la vertu consiste à corroborer notre constitution primitive : il augmente la défiance et la méchanceté chez certains hommes, comme il accroît la bonté de ceux qui ont un cœur excellent. L'infortune avait rendu le colonel encore plus secourable et
5 meilleur qu'il ne l'avait été, il pouvait donc s'initier au secret des souffrances féminines qui sont inconnues à la plupart des hommes. Néanmoins, malgré son peu de défiance, il ne put s'empêcher de dire à sa femme : « Vous étiez donc bien sûre de m'emmener ici ?

– Oui, répondit-elle, si je trouvais le colonel Chabert dans le
10 plaideur.[1] »

L'air de vérité qu'elle sut mettre dans cette réponse dissipa les légers soupçons que le colonel eut honte d'avoir conçus. Pendant trois jours la comtesse fut admirable près de son premier mari. Par de tendres soins et par sa constante douceur elle semblait vouloir effacer le souvenir des souf-
15 frances qu'il avait endurées, se faire pardonner les malheurs que, suivant ses aveux, elle avait innocemment causés ; elle se plaisait à déployer pour lui, tout en lui faisant apercevoir une sorte de mélancolie, les charmes auxquels elle le savait faible ; car nous sommes plus particulièrement accessibles à certaines façons, à des grâces de cœur ou d'esprit auxquelles
20 nous ne résistons pas ; elle voulait l'intéresser à sa situation, et l'attendrir assez pour s'emparer de son esprit et disposer souverainement de lui.

1. Le colonel Chabert, faisant valoir ses droits, et la comtesse Ferraud, soucieuse de préserver sa condition présente, viennent d'être confrontés dans l'étude de Derville. Mais celle-ci, refusant la transaction proposée par l'avoué, compte « spéculer sur la tendresse de son premier mari » pour se jouer de lui et imagine un stratagème pour l'anéantir socialement.

Décidée à tout pour arriver à ses fins, elle ne savait pas encore ce qu'elle devait faire de cet homme, mais certes elle voulait l'anéantir socialement. Le soir du troisième jour elle sentit que, malgré ses efforts, elle ne pouvait
5 cacher les inquiétudes que lui causait le résultat de ses manœuvres. Pour se trouver un moment à l'aise, elle monta chez elle, s'assit à son secrétaire, déposa le masque de tranquillité qu'elle conservait devant le comte Chabert, comme une actrice[2] qui, rentrant fatiguée dans sa loge après un cinquième acte pénible, tombe demi-morte et laisse dans la salle une
10 image d'elle-même à laquelle elle ne ressemble plus.

Balzac, *Le Colonel Chabert* (« Folio », pp. 104-106).

2. Les images théâtrales reparaissent sous la plume du romancier à propos de toutes les femmes sans cœur de *La Comédie humaine*.

Guide d'analyse

1. Mettez en lumière la structure de ce passage.

2. Distinguez ce qui oppose ces deux personnages, qui ont évolué inversement.

3. Citez les termes qui relèvent du champ lexical de la **simulation**. Comment ce thème se développe-t-il dans le texte ?

4. A la lumière du dénouement, commentez la proposition : « elle voulait l'anéantir socialement ».

Le mythe de la femme sans cœur : Fœdora

« Si le bon ton consiste à s'oublier pour autrui, à mettre dans sa voix et dans ses gestes une constante douceur, à plaire aux autres en les rendant contents d'eux-mêmes, malgré sa finesse, Fœdora n'avait pas effacé tout vestige de sa plébéienne origine : son oubli d'elle-même était fausseté; ses manières, au lieu d'être innées, avaient été laborieusement conquises; enfin sa politesse sentait la servitude. Eh bien, ses paroles emmiellées étaient pour ses favoris l'expression de la bonté, sa prétentieuse exagération était un noble enthousiasme. Moi seul avais étudié ses grimaces, j'avais dépouillé son être intérieur de la mince écorce qui suffit au monde, et n'étais plus la dupe de ses singeries; je connaissais à fond son âme de chatte. »

Balzac, *La Peau de chagrin.*

Le Père Goriot : Le « Christ de la paternité »

Au rang des pensionnaires de la misérable maison Vauquer se trouve un vieillard ruiné, le père Goriot. Ayant autrefois fait fortune, ce négociant a pu élever ses deux filles – devenues Delphine de Nucingen et Anastasie de Restaud – jusqu'aux plus hautes sphères de la société – la banque et la noblesse. Mais, victime de cet enrichissement soudain, de cette ascension brutale et des conditions sociales de l'époque, il éprouve désormais l'ingratitude de ses filles : elles évoluent dans un monde qui ne le reconnaît pas, où l'argent et la vanité abolissent tout sentiment naturel. Néanmoins il nourrit à leur égard une passion sans mesure qui le transfigure, lui permet d'approcher le mystère de la création divine et l'élèvera finalement jusqu'à la figure symbolique du Christ supplicié et bafoué pour l'amour des hommes.

« Un père est avec ses enfants comme Dieu est avec nous[1], il va jusqu'au fond des cœurs, et juge les intentions. Elles sont toutes deux aussi aimantes. Oh ! si j'avais eu de bons gendres, j'aurais été trop heureux. Il n'est sans doute pas de bonheur complet ici-bas. Si j'avais vécu chez elles ;
5 mais rien que d'entendre leurs voix, de les savoir là, de les voir aller, sortir, comme quand je les avais chez moi, ça m'eût fait cabrioler le cœur. Étaient-elles bien mises ?

– Oui, dit Eugène. Mais, monsieur Goriot, comment, en ayant des filles aussi richement établies que sont les vôtres, pouvez-vous demeurer
10 dans un taudis pareil ?

– Ma foi, dit-il, d'un air en apparence insouciant, à quoi cela me servirait-il d'être mieux ? Je ne puis guère vous expliquer ces choses-là ; je ne sais pas dire deux paroles de suite comme il faut. Tout est là, ajouta-t-il en se frappant le cœur. Ma vie, à moi, est dans mes deux filles[2]. Si elles
15 s'amusent, si elles sont heureuses, bravement mises, si elles marchent sur des tapis, qu'importe de quel drap je sois vêtu, et comment est l'endroit où je me couche ? Je n'ai point froid si elles ont chaud, je ne m'ennuie jamais si elle rient. Je n'ai de chagrins que les leurs. Quand vous serez père, quand vous vous direz, en oyant gazouiller vos enfants : « C'est
20 sorti de moi ! », que vous sentirez ces petites créatures tenir à chaque goutte de votre sang, dont elles ont été la fine fleur, car c'est ça ! vous vous croirez attaché à leur peau, vous croirez être agité vous-même par leur marche. Leur voix me répond partout. Un regard d'elles, quand il est

---

1. Dans ce texte, Balzac assimile Goriot à Dieu le Père, qui donne la vie et se réjouit de la création. Mais c'est à un « Christ de la Paternité » qu'il l'identifiera lorsque celui-ci entrera en agonie, souffrira la Passion et mourra pour et par ses filles. – **2.** Nouveau roi Lear, Goriot incarne l'amour paternel dans toute sa force et ses effets dévastateurs.

triste, me fige le sang. Un jour vous saurez que l'on est bien plus heureux
25 de leur bonheur que du sien propre. Je ne peux pas vous expliquer ça : c'est des mouvements intérieurs qui répandent l'aise partout. Enfin, je vis trois fois[3]. Voulez-vous que je vous dise une drôle de chose? Eh bien! quand j'ai été père, j'ai compris Dieu. Il est tout entier partout, puisque la création est sortie de lui. Monsieur, je suis ainsi avec mes filles. Seulement
30 j'aime mieux mes filles que Dieu n'aime le monde, parce que le monde n'est pas si beau que Dieu, et que mes filles sont plus belles que moi[4]. »

Balzac, *Le Père Goriot* (« Folio », pp. 178-180).

---

3. Le créateur (père naturel ou spirituel, Dieu, romancier...) délègue sa vie à sa créature. – 4. Le bonhomme, « qui ne sait pas dire deux paroles de suite comme il faut », est, quand il tient ce discours, inspiré par l'amour. « Souvent l'être le plus stupide arrive, sous l'effort de la passion, à la plus haute éloquence dans l'idée, si ce n'est dans le langage, et semble se mouvoir dans une sphère lumineuse. »

Guide d'analyse

1. **Le type.** Montrez que le personnage dans ce texte devient plus grand et plus vrai que nature et revêt une dimension symbolique.
2. **La délégation.** Goriot ne vit que de la vie de ses filles, de cette vie qu'il leur a donnée à l'origine. Précisez la nature et le sens de cette délégation.
3. **Le mythe de la paternité.** Étudiez d'après cette page la conception et la représentation balzaciennes de la paternité.

Splendeurs et misères des courtisanes : Vautrin ou la révolte

*A la fin d'*Illusions perdues *(III, 1843), Lucien, écrasé par la société et prêt à se suicider, rencontre l'abbé Carlos Herrera – nouvelle incarnation du forçat Vautrin – avec lequel il conclut un pacte quasi faustien : en échange de l'argent et du succès que lui assure le faux prêtre, il vend en quelque sorte son âme au diable et périra finalement, dans* Splendeurs et misères des courtisanes *(1839-1847), victime de cette association monstrueuse. Dans cette ultime lettre adressée à Herrera, Lucien met en lumière la force vitale débordante, la faculté d'opposition, la soif de domination et la volonté de possession portées à leur paroxysme en un personnage qui devient le type du révolté et l'image de l'archange des ténèbres.*

« Il y a la postérité de Caïn et celle d'Abel[1], comme vous disiez quelquefois. Caïn, dans le grand drame de l'Humanité, c'est l'opposition. Vous descendez d'Adam par cette ligne en qui le diable a continué de souffler le feu dont la première étincelle avait été jetée sur Ève. Parmi les démons de
5 cette filiation, il s'en trouve, de temps en temps, de terribles, à organisations vastes, qui résument toutes les forces humaines, et qui ressemblent à ces fiévreux animaux du désert dont la vie exige les espaces immenses qu'ils y trouvent. Ces gens-là sont dangereux dans la Société comme des lions le seraient en pleine Normandie : il leur faut une pâture, ils dévo-
10 rent les hommes vulgaires et broutent les écus des niais ; leurs jeux sont si périlleux qu'ils finissent par tuer l'humble chien dont ils se sont fait un compagnon, une idole. Quand Dieu le veut, ces êtres mystérieux sont Moïse, Attila, Charlemagne, Mahomet ou Napoléon[2], mais, quand il laisse rouiller au fond de l'océan d'une génération ces instruments gigan-
15 tesques, ils ne sont plus que Pugatcheff[3], Robespierre, Louvel[4] et l'abbé Carlos Herrera. Doués d'un immense pouvoir sur les âmes tendres, ils les attirent et les broient. C'est grand, c'est beau dans son genre. C'est la plante vénéneuse aux riches couleurs qui fascine les enfants dans les bois. C'est la poésie du mal. Des hommes comme vous autres doivent habiter
20 des antres, et n'en pas sortir. Tu m'as fait vivre de cette vie gigantesque, et j'ai bien mon compte de l'existence. Ainsi, je puis retirer ma tête des nœuds gordiens de ta politique pour la donner au nœud coulant de ma cravate. [...]

« Adieu donc, adieu, grandiose statue du mal et de la corruption,
25 adieu, vous qui, dans la bonne voie, eussiez été plus que Ximenès[5], plus que Richelieu, vous avez tenu vos promesses : je me retrouve ce que j'étais au bord de la Charente[6], après vous avoir dû les enchantements d'un rêve ; mais, malheureusement, ce n'est plus la rivière de mon pays où j'allais noyer les peccadilles de la jeunesse ; c'est la Seine, et mon trou,
30 c'est un cabanon[7] de la Conciergerie.

« Ne me regrettez pas : mon mépris pour vous était égal à mon admiration. »

Balzac, *Splendeurs et misères des courtisanes*, 3e partie, « Où mènent les mauvais chemins », (« Folio », pp. 468-469).

---

1. Le couple formé par Carlos Herrera et Lucien résume ainsi l'humanité entière. Par une sorte de grandissement épique, Balzac élève l'opposition de ces deux personnages à celle des deux races qui forment et partagent l'humanité. – **2.** Napoléon figure aux yeux de Balzac le type idéal de l'homme d'État, conquérant, législateur, organisateur. – **3.** Aventurier et rebelle cosaque (1742-1775) qui se proclama tsar sous le nom de Pierre III et fut exécuté sur l'ordre de Catherine II. – **4.** Assassin du duc de Berry en 1820. – **5.** Prélat espagnol (1436-1517), qui administra la Castille à la mort d'Isabelle la Catholique. – **6.** Voir la fin d'*Illusions perdues*. – **7.** Cellule.

Guide d'analyse

1. Un personnage mythique. Comment le personnage de Vautrin est-il grandi, dramatisé ? De quoi le forçat – inspiré peut-être de Vidocq – devient-il l'incarnation ?

2. La révolte. Précisez-en les éléments constitutifs.

3. « La postérité de Caïn et celle d'Abel ». Essayez de caractériser, en vous appuyant sur des figures de *La Comédie humaine,* la race de Caïn et celle d'Abel.

4. « La poésie du mal ». Analysez les « postulations simultanées » et opposées du personnage et définissez ce qui lui confère sa grandeur « poétique » – à la lumière du *Père Goriot* et de *Splendeurs et misères des courtisanes.*

La Cousine Bette : La volonté de puissance

Le premier épisode des Parents pauvres, La Cousine Bette *(1846), chef-d'œuvre des dernières années de Balzac, d'une tonalité nettement plus sombre, est consacré à Lisbeth Fischer, vieille fille humiliée par sa position subalterne et animée d'une haine sourde et obstinée à l'égard de la famille Hulot. Dans les rapports troubles qu'elle entretient avec le sculpteur livonien Wenceslas Steinbock qu'elle a recueilli et rendu à la vie, puis avec Valérie Marneffe en qui elle voit l'instrument de sa vengeance, la « sauvage Lorraine » apparaît essentiellement comme la représentation de la volonté de puissance et comme l'incarnation du désir de possession.*

Il est facile maintenant de comprendre l'espèce d'attachement extraordinaire que Mlle Fischer avait conçu pour son Livonien ; elle le voulait heureux, et elle le voyait dépérissant, s'étiolant dans sa mansarde. On conçoit la raison de cette situation affreuse. La Lorraine surveillait cet 5 enfant du Nord avec la tendresse d'une mère, avec la jalousie d'une femme et l'esprit d'un dragon ; ainsi elle s'arrangeait pour lui rendre toute folie, toute débauche impossible, en le laissant toujours sans argent. Elle aurait voulu garder sa victime et son compagnon pour elle, sage comme il était par force, et elle ne comprenait pas la barbarie de ce désir insensé, 10 car elle avait pris, elle, l'habitude de toutes les privations. Elle aimait assez Steinbock pour ne pas l'épouser, et l'aimait trop pour le céder à une autre femme ; elle ne savait pas se résigner à n'en être que la mère, et se regardait comme une folle quand elle pensait à l'autre rôle. Ces contradictions, cette féroce jalousie, ce bonheur de posséder un homme à elle, tout agitait

15 démesurément le cœur de cette fille[1]. Éprise réellement depuis quatre ans, elle caressait le fol espoir de faire durer cette vie inconséquente et sans issue, où sa persistance devait causer la perte de celui qu'elle appelait son enfant. Ce combat de ses instincts et de sa raison la rendait injuste et tyrannique. Elle se vengeait sur ce jeune homme de ce qu'elle n'était ni 20 jeune, ni riche, ni belle; puis, après chaque vengeance, elle arrivait, en reconnaissant ses torts en elle-même, à des humilités, à des tendresses infinies. Elle ne concevait le sacrifice à faire à son idole qu'après y avoir écrit sa puissance à coups de hache.

Balzac, *La Cousine Bette* (« Folio », pp. 101-102).

Elle adorait d'ailleurs Valérie, elle en avait fait sa fille, son amie, son amour; elle trouvait en elle l'obéissance des créoles[2], la mollesse de la voluptueuse; elle babillait avec elle tous les matins avec bien plus de plaisir qu'avec Wenceslas, elles pouvaient rire de leurs communes malices, de 5 la sottise des hommes, et recompter ensemble les intérêts grossissants de leurs trésors respectifs. Lisbeth avait d'ailleurs rencontré, dans son entreprise et dans son amitié nouvelle, une pâture à son activité bien autrement abondante que dans son amour insensé pour Wenceslas. Les jouissances de la haine satisfaite sont les plus ardentes, les plus fortes au cœur. 10 L'amour est en quelque sorte l'or, et la haine est le fer de cette mine à sentiments qui gît en nous. Enfin Valérie offrait, dans toute sa gloire, à Lisbeth cette beauté qu'elle adorait, comme on adore tout ce qu'on ne possède pas, beauté bien plus maniable que celle de Wenceslas qui, pour elle, avait toujours été froid et insensible.

15 Après bientôt trois ans, Lisbeth commençait à voir les progrès de la sape souterraine à laquelle elle consumait sa vie et dévouait son intelligence. Lisbeth pensait, Mme Marneffe agissait. Mme Marneffe était la hache, Lisbeth était la main qui la manie[3], et la main démolissait à coups pressés cette famille qui, de jour en jour, lui devenait plus odieuse, car on 20 hait de plus en plus, comme on aime tous les jours davantage, quand on aime.

Balzac, *La Cousine Bette* (« Folio », pp. 191-192).

---

1. Telles sont chez Bette comme chez Vautrin les aspirations opposées qui les déchirent : le besoin de dominer et d'écraser leur victime joint à la passion de se dévouer à leur « idole ». **2.** Dans la géographie symbolique de l'œuvre, Valérie Marneffe, la Créole, s'oppose à Wenceslas Steinbock, le Livonien, l'enfant du Nord, par sa soumission à la Lorraine. – **3.** Si Wenceslas était l'être sur lequel Lisbeth écrivait « sa puissance à coups de hache », Marneffe devient la hache par laquelle Lisbeth détruira la famille Hulot. La cousine Bette trouve par là une solution à la contradiction essentielle dans laquelle elle s'enfermait avec le sculpteur et peut, grâce à sa jeune amie, assouvir la passion haineuse qui l'anime.

Guide d'analyse

1. Rapprochez ces deux textes et dégagez-en les aspects similaires. Comparez le couple Bette/Wenceslas au couple Bette/Valérie. En quoi cette dernière relation est-elle accomplissement de ce qui n'était dans la première qu'une ébauche imparfaite?

2. Par quels procédés Balzac fait-il de Lisbeth Fischer un personnage signifiant, un type représentatif d'un comportement et de sentiments humains?

3. Précisez en quoi la cousine Bette apparaît comme la réincarnation féminine de Vautrin.

Alice Sapricht et Claudine Coster dans l'adaptation télévisée de *La Cousine Bette,* par Y.-A. Hubert, 1963.

2. Un espace mythique

La Fille aux yeux d'or : Paris, enfer de l'or et du plaisir

Si les plus grands personnages de La Comédie humaine *se trouvent lestés d'une signification symbolique, l'espace romanesque également peut acquérir une dimension mythique. Au début de* La Fille aux yeux d'or *(1835), nouvelle dédiée au peintre Eugène Delacroix, Balzac, avant d'envisager successivement les différentes « espèces sociales » qui composent la population, nous propose un tableau de Paris et du mouvement frénétique de ses habitants. La description devient vision. La réalité y apparaît déformée, grossie, transposée – signifiante. Paris figure une cité maudite et infernale où la vie se consume dans la poursuite haletante de l'or et du plaisir, où l'être s'use dans les jouissances, condamné en définitive à ne connaître que l'ennui.*

Quelques observations sur l'âme de Paris peuvent expliquer les causes de sa physionomie cadavéreuse qui n'a que deux âges, ou la jeunesse ou la caducité : jeunesse blafarde et sans couleur, caducité fardée qui veut paraître jeune. En voyant ce peuple exhumé, les étrangers, qui ne sont
5 pas tenus de réfléchir, éprouvent tout d'abord un mouvement de dégoût pour cette capitale, vaste atelier de jouissances, d'où bientôt eux-mêmes ils ne peuvent sortir, et restent à s'y déformer volontiers. Peu de mots suffiront pour justifier physiologiquement la teinte presque infernale des figures parisiennes, car ce n'est pas seulement par plaisanterie que Paris a
10 été nommé un enfer[1]. Tenez ce mot pour vrai. Là, tout fume, tout brûle, tout brille, tout bouillonne, tout flambe, s'évapore, s'éteint, se rallume, étincelle, pétille et se consume[2]. Jamais vie en aucun pays ne fut plus ardente, ni plus cuisante. Cette nature sociale[3] toujours en fusion semble se dire après chaque œuvre finie : « A une autre! » comme se le dit la
15 nature elle-même. Comme la nature, cette nature sociale s'occupe d'insectes, de fleurs d'un jour, de bagatelles, d'éphémères, et jette aussi feu et flamme par son éternel cratère. Peut-être, avant d'analyser les causes qui font une physionomie spéciale à chaque tribu de cette nation

---

1. Cette image est très fréquente chez les écrivains français du XIXe siècle, quand ils évoquent la capitale. Roger Caillois, dans *Le Mythe et l'homme*, montre qu'au XIXe le ton s'élève quand Paris est mis en scène et qu'il se forme une représentation mythique de la ville, « assez puissante sur les imaginations pour que jamais en pratique ne soit posée la question de son exactitude ». – **2.** Cette rhétorique de l'abondance (marquée par l'accumulation de verbes de mouvement) correspond à l'hypertrophie du réel. – **3.** Balzac est coutumier de la comparaison entre la réalité naturelle et la réalité sociale (cf. *Avant-propos*).

intelligente et mouvante, doit-on signaler la cause générale qui en déco-
20 lore, blêmit, bleuit et brunit plus ou moins les individus.

A force de s'intéresser à tout, le Parisien finit par ne s'intéresser à rien. Aucun sentiment ne dominant sur sa face usée par le frottement, elle devient grise comme le plâtre des maisons qui a reçu toute espèce de poussière et de fumée. En effet, indifférent la veille à ce dont il s'enivrera le
25 lendemain, le Parisien vit en enfant quel que soit son âge. Il murmure de tout, se console de tout, se moque de tout, oublie tout, veut tout, goûte à tout, prend tout avec passion, quitte tout avec insouciance; ses rois, ses conquêtes, sa gloire, son idole, qu'elle soit de bronze ou de verre; comme il jette ses bas, ses chapeaux et sa fortune. A Paris, aucun sentiment ne
30 résiste au jet des choses, et leur courant oblige à une lutte qui détend les passions : l'amour y est un désir, et la haine une velléité; il n'y a là de vrai parent que le billet de mille francs, d'autre ami que le Mont-de-Piété. Ce laisser-aller général porte ses fruits; et, dans le salon, comme dans la rue, personne n'y est de trop, personne n'y est absolument utile, ni absolu-
35 ment nuisible : les sots et les fripons, comme les gens d'esprit ou de probité. Tout y est toléré, le gouvernement et la guillotine, la religion et le choléra[4]. Vous convenez toujours à ce monde, vous n'y manquez jamais. Qui donc domine en ce pays sans mœurs, sans croyance, sans aucun sentiment; mais d'où partent et où aboutissent tous les sentiments, toutes les
40 croyances et toutes les mœurs? L'or et le plaisir[5]. Prenez ces deux mots comme une lumière et parcourez cette grande cage de plâtre, cette ruche à ruisseaux noirs, et suivez-y les serpenteaux de cette pensée qui l'agite, la soulève, la travaille? Voyez.

Balzac, *La Fille aux yeux d'or* (« Folio », pp. 245-247).

---

4. Allusion à l'épidémie de choléra de 1832. – 5. Cf. Baudelaire, *Les Fleurs du mal*, « Les Aveugles » :
« O cité!
Pendant qu'autour de nous, tu chantes, ris et beugles
Éprise du plaisir jusqu'à l'atrocité... »

Guide d'analyse

1. **« L'âme de Paris » et du Parisien.** Quels traits relève ici Balzac? Montrez que la vision se forme à partir de l'observation.
2. **Les couleurs.** Étudiez les teintes de ce tableau, composé en hommage au coloriste Delacroix. Analysez-en le pouvoir symbolique.
3. **Les images.** Notez les différents registres d'images et dégagez-en la signification.
4. Précisez le ton de la page et le style de cette évocation de la capitale.

La Cousine Bette : Paris ou « l'alliance intime de la misère et de la splendeur »

Balzac nous propose dans La Cousine Bette *(1846) l'évocation d'un quartier déshérité et mal famé de Paris, à proximité immédiate du palais du Louvre. Mais ce texte n'est pas strictement descriptif : le réel s'y trouve transfiguré, non certes décanté et épuré mais grandi, hypertrophié. Grâce au réseau d'images convergentes et au procédé stylistique de l'hyperbole, ce lieu revêt un sens – il figure un espace de mort – et se charge d'une valeur symbolique – il révèle « l'alliance intime de la misère et de la splendeur » au cœur de la vivante cité.*

Depuis le guichet qui mène au pont du Carrousel jusqu'à la rue du Musée, tout homme venu, ne fût-ce que pour quelques jours, à Paris, remarque une dizaine de maisons à façades ruinées, où les propriétaires découragés ne font aucune réparation, et qui sont le résidu d'un ancien
5 quartier en démolition depuis le jour où Napoléon résolut de terminer le Louvre[1]. La rue et l'impasse du Doyenné, voilà les seules voies intérieures de ce pâté sombre et désert où les habitants sont probablement des fantômes, car on n'y voit jamais personne. Le pavé, beaucoup plus bas que celui de la chaussée de la rue du Musée, se trouve au niveau de celle de la
10 rue Froidmanteau. Enterrées déjà par l'exhaussement de la place, ces maisons sont enveloppées de l'ombre éternelle que projettent les hautes galeries du Louvre, noircies de ce côté par le souffle du Nord. Les ténèbres, le silence, l'air glacial, la profondeur caverneuse du sol concourent à faire de ces maisons des espèces de cryptes, des tombeaux vivants[2]. Lorsqu'on
15 passe en cabriolet le long de ce demi-quartier mort, et que le regard s'engage dans la ruelle du Doyenné, l'âme a froid, l'on se demande qui peut demeurer là, ce qui doit s'y passer le soir, à l'heure où cette ruelle se change en coupe-gorge, et où les vices de Paris, enveloppés du manteau de la nuit, se donnent pleine carrière[3]. Ce problème, effrayant par lui-
20 même, devient horrible quand on voit que ces prétendues maisons ont pour ceinture un marais du côté de la rue de Richelieu, un océan de pavés moutonnants du côté des Tuileries, de petits jardins, des baraques sinistres du côté des galeries, et des steppes de pierre de taille et de démolitions

1. Jusqu'au Second Empire, le quartier qui s'étendait du Louvre à la Comédie-Française était constitué de masures ou de ruines. – **2.** Les écrivains du XIXe se sont plu à évoquer la face secrète et insaisissable de la capitale (cf. Eugène Sue, *Les Mystères de Paris* (1842-43). – **3.** Voir Baudelaire, *Les Fleurs du mal.* Tableaux parisiens : « Le Crépuscule du soir. »

du côté du vieux Louvre. Henri III et ses mignons qui cherchent leurs
25 chausses, les amants de Marguerite qui cherchent leurs têtes[4], doivent danser des sarabandes au clair de la lune dans ces déserts dominés par la voûte d'une chapelle encore debout, comme pour prouver que la religion catholique, si vivace en France, survit à tout. Voici bientôt quarante ans que le Louvre crie par toutes les gueules de ces murs éventrés, de ces fenê-
30 tres béantes : Extirpez ces verrues de ma face! On a sans doute reconnu l'utilité de ce coupe-gorge, et la nécessité de symboliser au cœur de Paris l'alliance intime de la misère et de la splendeur qui caractérise la reine des capitales. Aussi ces ruines froides, au sein desquelles le journal des légitimistes a commencé la maladie dont il meurt[5], les infâmes baraques de la
35 rue du Musée, l'enceinte en planches des étalagistes qui la garnissent, auront-elles la vie plus longue et plus prospère que celles de trois dynasties peut-être!

Balzac, *La Cousine Bette* (« Folio », pp. 80-81).

---

4. Henri III, fils d'Henri II et de Catherine de Médicis (1551-1589) et Marguerite de Valois, sa sœur (1553-1615). – **5.** *La Gazette de France.*

Paris dans *La Comédie humaine*

• **Les beaux quartiers** (aujourd'hui 7e arrondissement). L'aristocratie réside au faubourg Saint-Germain. Raphaël de Valentin *(La Peau de chagrin)*, devenu riche, habite rue de Varennes, Madame de Beauséant *(Le Père Goriot)*, rue de Grenelle.
• **Le quartier des nouveaux riches** (8e arrondissement). Fœdora *(La Peau de chagrin)* est installée au faubourg Saint-Honoré, Madame Rabourdin *(Les Employés)* a son salon rue Duphot, près de La Madeleine.
• **Le quartier des affaires** (1er et 2e arrondissements). La boutique de César Birotteau est située rue Saint-Honoré, l'étude de Me Derville *(Le Colonel Chabert)*, rue Vivienne.
• **Les quartiers modestes** (3e arrondissement). Le Marais est occupé par la petite bourgeoisie. La boutique de Monsieur Guillaume *(La Maison du chat-qui-pelote)* se trouve rue Saint-Denis; Pons et Schmucke *(Le Cousin Pons)* vivent rue de Normandie.
• **Les quartiers pauvres** (5e arrondissement). La Montagne Sainte-Geneviève abrite les plus déshérités. Là se retrouvent les étudiants, Raphaël de Valentin à ses débuts *(La Peau de chagrin)*, Rastignac et Bianchon, pensionnaires de la Maison Vauquer *(Le Père Goriot)*, Lucien de Rubempré abandonné à Paris par Madame de Bargeton *(Illusions perdues)*.

Guide d'analyse

1. Le mouvement du texte. Quelle en est la progression?

2. La « misère » de la capitale. Relevez et caractérisez les éléments qui expriment la misère de Paris.

3. Réalisme et fantastique. Par quel biais s'opère le passage de la description réaliste à l'évocation symbolique et fantastique?

La Peau de chagrin : La maison de jeu, antichambre de la mort

Au commencement de son roman, La Peau de chagrin *(1831), Balzac, avant de présenter son héros, évoque le monde énigmatique des maisons de jeu et décrit un tripot sordide du Palais Royal, espace clos et sinistre dans lequel le personnage va pénétrer. Celui que l'écrivain ne veut encore ni identifier ni particulariser – soucieux en cela de lui conférer une valeur emblématique – et qui se révélera plus tard être Raphaël de Valentin, venu jouer sa dernière pièce d'or et sa vie, est ainsi situé dans un univers qui, par-delà le réalisme de la peinture, figure symboliquement une antichambre de la mort, étape dans le parcours initiatique du héros.*

Au moment où le jeune homme entra dans le salon, quelques joueurs s'y trouvaient déjà. Trois vieillards à têtes chauves étaient nonchalamment assis autour du tapis vert; leurs visages de plâtre, impassibles comme ceux des diplomates, révélaient des âmes blasées, des cœurs qui
5 depuis longtemps avaient désappris de palpiter, même en risquant les biens paraphernaux[1] d'une femme. Un jeune Italien aux cheveux noirs, au teint olivâtre, était accoudé tranquillement au bout de la table, et paraissait écouter ces pressentiments secrets qui crient fatalement à un joueur : « Oui. – Non! » Cette tête méridionale respirait l'or et le feu.
10 Sept ou huit spectateurs, debout, rangés de manière à former une galerie, attendaient les scènes que leur préparaient les coups du sort, les figures des acteurs, le mouvement de l'argent et celui des râteaux. Ces désœuvrés étaient là, silencieux, immobiles, attentifs comme l'est le peuple à la Grève quand le bourreau tranche une tête. Un grand homme sec, en
15 habit râpé, tenait un registre d'une main, et de l'autre une épingle pour marquer les passes de la Rouge ou de la Noire. C'était un de ces Tantales[2] modernes qui vivent en marge de toutes les jouissances de leur siècle, un de ces avares sans trésor qui jouent une mise imaginaire : espèce de fou raisonnable qui se consolait de ses misères en caressant une chimère, qui
20 agissait enfin avec le vice et le danger comme les jeunes prêtres avec l'Eucharistie, quand ils disent des messes blanches[3]. En face de la banque, un ou deux de ces fins spéculateurs, experts des chances du jeu, et

1. Biens d'une femme mariée qui ne font pas partie de la dot. – 2. Figure de la mythologie grecque. Le châtiment de Tantale aux Enfers est exemplaire : quand il veut boire, le niveau de l'eau baisse aussitôt; quand il veut manger, la branche chargée de fruits s'écarte immédiatement de lui. – 3. Simulacre de messe (lorsque les jeunes prêtres s'exercent à célébrer l'office).

semblables à d'anciens forçats qui ne s'effraient plus des galères, étaient venus là pour hasarder trois coups et remporter immédiatement le gain
25 probable duquel ils vivaient. Deux vieux garçons de salle se promenaient nonchalamment les bras croisés, et de temps en temps regardaient le jardin par les fenêtres, comme pour montrer aux passants leurs plates figures, en guise d'enseigne. Le *tailleur*[4] et le *banquier* venaient de jeter sur les ponteurs[5] ce regard blême qui les tue, et disaient d'une voix grêle : « Fai-
30 tes le jeu ! » quand le jeune homme ouvrit la porte. Le silence devint en quelque sorte plus profond, et les têtes se tournèrent vers le nouveau venu par curiosité. Chose inouïe ! les vieillards émoussés, les employés pétrifiés, les spectateurs, et jusqu'au fanatique Italien, tous en voyant l'inconnu éprouvèrent je ne sais quel sentiment épouvantable. Ne faut-il
35 pas être bien malheureux pour obtenir de la pitié, bien faible pour exciter une sympathie, ou d'un bien sinistre aspect pour faire frissonner les âmes dans cette salle où les douleurs doivent être muettes, où la misère est gaie et le désespoir décent ? Eh bien, il y avait de tout cela dans la sensation neuve qui remua ces cœurs glacés quand le jeune homme entra. Mais les
40 bourreaux n'ont-ils pas quelquefois pleuré sur les vierges dont les blondes têtes devaient être coupées à un signal de la Révolution ?

Balzac, *La Peau de chagrin*, « Le Talisman » (« Folio », pp. 25-27).

4. Celui qui retourne les cartes. – 5. Joueur.

Analyse linéaire

Structure du texte.

A la description des personnages qui hantent les lieux succède l'analyse de l'effet produit par l'entrée de Raphaël. Si Balzac évoque d'abord (à l'imparfait) le tableau des joueurs figés en leur pose habituelle, il dépeint ensuite (au passé simple) leur réaction à l'événement extraordinaire que constitue l'apparition du héros.

I. Description lente des personnages de la maison de jeu.

Balzac adopte le point de vue de Raphaël. Que saisit son regard ?

a) *« Trois vieillards » – « Un jeune Italien ».*

Notons :

– l'abondance des détails ;

– la correspondance entre les traits physiques et les dispositions psychiques ;

– le contraste des peintures : à la laideur et à l'insensibilité des vieillards desséchés en leur corps et en leur âme s'oppose l'ardeur de l'Italien qui « respir[e] l'or et le feu ».

C'est là l'introduction du thème de la mort (les « visages de plâtre » évoquent les masques mortuaires, les « têtes chauves » appellent l'image du vautour, les cœurs ont cessé de battre).

b) *« Sept ou huit personnages ».*
« Désœuvrés », « silencieux », « immobiles », ils n'agissent pas mais regardent : ils attendent la scène funèbre qui se jouera sous leurs yeux (ainsi que le suggère la comparaison avec le peuple qui assiste sur la place de Grève aux exécutions capitales).

c) *« Un grand homme sec » – « Un ou deux de ces fins spéculateurs ».*
A l'évocation symbolique d' « un de ces Tantales modernes » (qui signifient l'insatisfaction humaine et confèrent à l'espace une dimension mythique, la salle de jeu figurant les Enfers où les ombres des morts attendent leur supplice) succède l'évocation satirique des « experts des chances du jeu » (où l'image de la galère traduit la destruction de l'être par la passion).

d) *Les employés.*
Ils sont en harmonie parfaite avec les joueurs et à l'image même du tripot (signalons la reprise de l'adverbe « nonchalamment » et l'accord du « regard blême » et de « la voix grêle » au cadre gris et étriqué).

La présentation panoramique des personnages se clôt par le rappel du motif de la mort : « ce regard qui tue ». L'espace est ainsi constitué ; les témoins sont mis en place : il reste à introduire l'acteur qui sera aussi la victime.

II. Réaction brutale des personnages du tripot à l'arrivée de Raphaël.

a) *Ellipse et accélération du récit.*
Revenant à l'instant initial (« Quand le jeune homme ouvrit la porte » / « Au moment où le jeune homme entra dans le salon »), Balzac tait celui qui vient de surgir et dit seulement l'effet qu'il produit sur l'assistance.

b) *Caractère extraordinaire de l'émotion du public.*
L'opposition entre l'état antérieur et naturel d'impassibilité de ces êtres et le « sentiment épouvantable » qui les agite, jointe à l'oblitération de la description du « jeune homme », donne la mesure de la douleur de Raphaël.
Relevons l'intervention de Balzac (« Chose inouïe ! » ; « Ne faut-il pas être bien malheureux..., bien faible..., d'un bien sinistre aspect... »).

c) *Reprise de l'évocation du bourreau.*
Raphaël est la victime désignée qu'attendait cet univers. L'enjeu est lourd : Raphaël a choisi le jeu comme moyen de satisfaire ses désirs ; mais en cas d'échec, le suicide sera la seule issue.

La maison de jeu constitue donc le premier tableau de *La Peau de chagrin.* Peinture réaliste des tripots du Palais Royal en 1830, cet épisode se charge, à la faveur d'un réseau d'images convergentes, d'une signification symbolique : les personnages figurent des créatures inhumaines et infernales (de suppliciés ou de bourreaux) et les lieux représentent un espace de mort (théâtre de l'agonie d'hommes usés par les passions). Marqué par cette épreuve et essentiellement voué à la mort, le héros, après la perte au jeu de sa dernière pièce d'or, ne peut que se suicider – immédiatement en se jetant dans la Seine ou lentement en acceptant le talisman.

Le Cabinet des Antiques : L'hôtel d'Esgrignon ou les débris d'un temps révolu

Émile Blondet, le narrateur du Cabinet des Antiques *(1836-1839), amorce son récit consacré aux mésaventures d'un jeune noble en province et à Paris par la description de l'hôtel d'Esgrignon et des figures qui s'y rencontrent. En effet, les êtres pétrifiés et momifiés qui hantent le salon sont partie intégrante du décor – d'un décor solennel et théâtral, affreux et sublime. Mais ces personnages, vestiges de l'Ancien Régime, survivances au cœur de l'histoire contemporaine d'un passé aboli, semblent appartenir à un monde fantastique, aux frontières de la vie et de la mort, à la lisière du réel et du surnaturel. Le fantastique balzacien apparaît en ce sens comme l'expression de l'irréalité qui affleure dans la réalité, comme la révélation d'une face obscure et cachée du monde.*

Sous ces vieux lambris, oripeaux d'un temps qui n'était plus, s'agitaient en première ligne huit ou dix douairières, les unes au chef branlant, les autres desséchées et noires comme des momies[1], celles-ci roides, celles-là inclinées, toutes encaparaçonnées d'habits plus ou moins fantasques en
5 opposition avec la mode ; des têtes poudrées à cheveux bouclés, des bonnets à coques, des dentelles rousses. Les peintures les plus bouffonnes ou les plus sérieuses n'ont jamais atteint à la poésie divagante de ces femmes, qui reviennent dans mes rêves et grimacent dans mes souvenirs aussitôt que je rencontre une vieille femme dont la figure ou la toilette me rappel-
10 lent quelques-uns de leurs traits. Mais, soit que le malheur m'ait initié aux secrets des infortunes, soit que j'aie compris tous les sentiments humains, surtout les regrets et le vieil âge, je n'ai jamais plus retrouvé nulle part, ni chez les mourants, ni chez les vivants, la pâleur de certains yeux gris, l'effrayante vivacité de quelques yeux noirs[2]. Enfin, ni Maturin
15 ni Hoffmann[3], les deux plus sinistres imaginations de ce temps, ne m'ont causé l'épouvante que me causèrent les mouvements automatiques de ces corps busqués. Le rouge des acteurs ne m'a point surpris, j'avais vu là du

1. Baudelaire, de même, voit dans les vieillards de la capitale des « monstres disloqués » (« Les petites vieilles »), évoque des « spectres baroques » (« Les sept vieillards »). – **2.** Baudelaire retient aussi ces « yeux perçants comme une vrille/luisants comme ces trous où l'eau dort dans la nuit » (« Les petites vieilles »). – **3.** Balzac cite ici deux écrivains qui l'ont influencé, l'Irlandais Maturin dont le chef-d'œuvre est le roman noir *Melmoth ou l'Homme errant* (1820) et l'Allemand Hoffmann qui, dans ses productions musicales et littéraires, ménage une large place au fantastique.

rouge invétéré, du rouge de naissance, disait un de mes camarades au moins aussi espiègle que je pouvais l'être. Il s'agitait là des figures aplaties, mais creusées par des rides, qui ressemblaient aux têtes de casse-noisettes sculptées en Allemagne. Je voyais à travers les carreaux des corps bossués, des membres mal attachés dont je n'ai jamais tenté d'expliquer l'économie ni la contexture; des mâchoires carrées et très apparentes, des os exorbitants, des hanches luxuriantes. Quand ces femmes allaient et venaient, elle ne me semblaient pas moins extraordinaires que quand elles gardaient leur immobilité mortuaire, alors qu'elles jouaient aux cartes. Les hommes de ce salon offraient les couleurs grises et fanées des vieilles tapisseries, leur vie était frappée d'indécision; mais leur costume se rapprochait beaucoup des costumes alors en usage, seulement leurs cheveux blancs, leurs visages flétris, leur teint de cire, leurs fronts ruinés, la pâleur des yeux leur donnaient à tous une ressemblance avec les femmes qui détruisait la réalité de leur costume. La certitude de trouver ces personnages invariablement attablés ou assis aux mêmes heures achevait de leur prêter à mes yeux je ne sais quoi de théâtral, de pompeux, de surnaturel. Jamais je ne suis entré depuis dans ces garde-meubles célèbres, à Paris, à Londres, à Vienne, à Munich, où de vieux gardiens vous montrent les splendeurs des temps passés, sans que je les peuplasse des figures du Cabinet des Antiques.

Balzac, *Le Cabinet des Antiques*, « La Pléiade », IV, Éd. Gallimard, pp. 976-977.

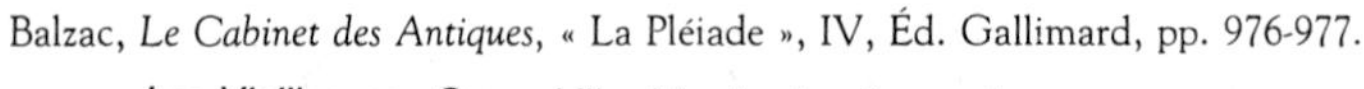

Les Vieilles, par Goya. Lille, Musée des Beaux-Arts.

Guide d'analyse

1. Commentez les expressions :
« La poésie divagante de ces femmes »; « Leur vie était frappée d'indécision ».

2. Étudiez l'évocation des personnages – des costumes et des corps. Notez le jeu des lignes et des couleurs. Quelle interprétation en donnez-vous?

3. Précisez à quoi tient l'étrangeté du spectacle et montrez-en l'ambiguïté. Comment le « fantasque » devient-il fantastique?

Documentation, essais, recherches

1. « Les Mille et Une Nuits de l'Occident. » Vous justifierez et apprécierez ce mot de Balzac sur son œuvre.

2. La « femme sans cœur ». Comparez diverses figures d' « inhumaines » – Fœdora (*La Peau de chagrin,* 1831), la comtesse Ferraud (*Le Colonel Chabert,* 1832), la duchesse de Langeais (*La Duchesse de Langeais,* 1834), Diane de Maufrigneuse (*Les Secrets de la princesse de Cadignan,* 1839). Étudiez leur fonction par rapport au personnage masculin. Que signifie à vos yeux le mythe balzacien de la « femme sans cœur »?

3. La délégation. D'après les extraits du *Père Goriot,* de *Splendeurs* et de *La Cousine Bette,* vous analyserez la relation qui existe entre Goriot et ses filles, Vautrin et Lucien, Bette et Wenceslas ou Valérie. Recherchez d'autres couples de ce genre dans *La Comédie humaine.* Quel est le sens de ce dédoublement et de cette procuration? Considérez sous cet angle le rapport de l'écrivain à ses personnages et définissez la conception balzacienne de la création romanesque.

4. La vision balzacienne de Paris. Roger Caillois, dans *Le Mythe et l'homme* montre que par « cette promotion du décor urbain à la qualité épique, plus exactement cette exaltation subite, dans le sens du fantastique, de la peinture réaliste d'une cité bien définie » se constitue le mythe moderne de Paris. Illustrez cette affirmation en vous inspirant de *La Comédie humaine* aînsi que de l'œuvre d'autres écrivains du XIXe siècle (Hugo et Baudelaire, particulièrement).

5. Le fantastique. D'après les quatre derniers textes consacrés à des espaces mythiques, vous essaierez de caractériser le fantastique balzacien, en précisant ses rapports avec le réalisme.

LECTURES MODERNES

Le mythe balzacien

Le vrai mythe balzacien, celui qui, répondant à ses angoisses premières et traduisant sa perception du mystère, est pour lui la vraie forme de la pensée, je crois qu'on le trouve dans ses romans « réalistes » autant, sinon même davantage, que dans les contes de ses débuts. A mesure que Balzac, possédant mieux son métier d'« inventeur du vrai » et sachant plus sûrement suivre les pistes de son univers propre, ajoute les uns aux autres les grands romans de *La Comédie humaine,* il revient plus rarement à l'expression fantastique et à l'intrusion manifeste du surnaturel. Serait-ce qu'il a renoncé à son dessein, qui était, plus ou moins consciemment, d'imaginer un monde où parût dans son entière ampleur l'homme jeté dans le temps, l'homme incarné dans un corps et de toutes parts attaché par mille liens occultes à des forces autres que corporelles ? Certes non ! Mais Balzac a tiré de son œuvre même, de ses premiers mythes, l'enseignement qu'ils lui apportaient. Le relatif échec de ses récits fantastiques, et singulièrement l'issue tragique où aboutit l'aventure de l'ange Séraphîta, lui ont montré sa voie de romancier. Ce que l'expérience ainsi tentée sur des chemins d'exception lui a révélé, c'est précisément que l'ascension spirituelle de l'homme, si haut qu'elle s'élève, reste une histoire de la terre, une histoire incarnée. Le vrai mythe, il faut le créer dans le quotidien, dans le temps, dans l'incarnation. Enseignement de la vie, qui est aussi la découverte d'une loi de l'art. Mais, devenu ainsi plus vraiment romancier, Balzac ne répudie pas son propos initial. Le roman de la vie sera chargé de sens mythique, et devra à cette tacite présence du mythe le meilleur de sa puissance.

Le lecteur naïf, qui aborde *Le Père Goriot* ou les *Illusions perdues,* peut ne pas se douter de ce fond de mystère sur lequel s'édifie l'histoire dont il n'aperçoit que le très normal déroulement. Mais il est certain que l'impression de forte réalité qu'il en reçoit tient justement à ce que le plan de la vie quotidienne se double constamment de toute une profondeur cachée. Le monde réel ne paraît si réel que parce qu'il est la surface transparente de l'autre. On a le sentiment d'être vraiment *dans la vie,* mais on ne l'aurait pas si, à chaque instant, le sensible n'était le symbole et la manifestation de l'invisible. Car la vie n'est pas, comme le crurent grossièrement les naturalistes, limitée à son apparence immédiate. Elle n'est la vie que quand, tout autour d'elle, au-dessus et au-dessous, en haut, en bas, et surtout à l'intérieur, on devine ou on perçoit quelque chose qui la dépasse. Pour voir la vie ainsi, dans sa vraie réalité, il faut, plus encore que pour évoquer les songes, être doué de pouvoirs visionnaires.

Albert Béguin, *Balzac lu et relu.*

Balzac, par Auguste Rodin, Paris, Bd Raspail.

PASSION, DÉSIR ET ÉNERGIE

« ... et visionnaire passionné ». Baudelaire, *Théophile Gautier.*

PASSIONS DES CRÉATURES ET PASSIONS DU CRÉATEUR

A étudier de près l'univers balzacien, on découvre que la passion en est l'élément constitutif, le ressort et le moteur. En effet, le romancier s'attache à mettre en lumière les forces profondes et irrésistibles qui animent l'individu et qu'entretient ou développe la vie sociale. Sans doute a-t-il insufflé à ses créatures, si diverses et nombreuses qu'elles soient, cette même passion qui le déchire : les héros de *La Comédie humaine* sont ainsi directement issus de la personnalité de l'écrivain, tirés de la multiplicité de ses possibles et façonnés selon ses hantises et ses obsessions. Balzac réalise en eux certaines virtualités de son être mais leur délègue aussi en quelque sorte sa vie – le personnage étant le masque qui tout à la fois révèle et cache l'auteur.

UNITÉ DES PASSIONS

La passion à l'origine est indifférenciée – élan vers un but qui n'a pas encore été défini, énergie qui se déploie sans objet précis, désir qui se projette. Ainsi se rejoignent tous les personnages balzaciens qui brûlent de cette ardeur indomptable. Essentiellement liés entre eux et à leur auteur, les héros de *La Comédie humaine* ne se distinguent les uns des autres et ne se séparent de lui que dans l'objet de leur passion. De Facino Cane fasciné par l'or à Balthazar Claës mû par le démon de la connaissance, du libertin De Marsay assoiffé de plaisirs à l'artiste Frenhofer en quête de la beauté, c'est une même intensité exemplaire que Balzac donne à leur désir, c'est une même énergie frénétique qu'il leur communique. Passions matérielles et charnelles, passions spirituelles et mystiques sont les deux aspects d'un élan qui porte l'être au-delà de lui-même, d'un mouvement vers une unité perdue ou rompue mais trahissent également une farouche volonté de puissance, un besoin impérieux de possession.

INSATISFACTION DE LA PASSION

Or, qu'il s'agisse de Grandet, l'avare, entassant sans trêve son bien, de Louis Lambert, le voyant, curieux de connaître et de saisir le secret de la création divine ou de Balzac écrivant sans relâche pour conquérir gloire, amour, richesse, le désir insatiable de par sa nature ne sera jamais comblé : il renaît inlassablement de lui-même car il est désir de la totalité – d'une totalité que l'homme ne peut pleinement s'approprier et qui le laisse éternellement insatisfait.

Ainsi, par-delà le caractère disparate et foisonnant de la matière romanesque, se constitue l'unité profonde de l'univers balzacien. *La Comédie humaine* apparaît alors comme l'épopée réaliste des passions – épopée moderne dans laquelle des personnages incarnant des forces irréductibles dans un monde lui-même en mouvement partent à la recherche et à la conquête d'un objet qui ne sera jamais atteint ni possédé.

1. Les appétits terrestres

Eugénie Grandet : La mort de l'avare

La Comédie humaine *apparaît bien comme l'univers des passions. Si l'on écarte le monde de la médiocrité et celui de l'absolu – l'en deçà et l'au-delà de l'humanité – tous les héros balzaciens connaissent le même élan, dépensent la même énergie – quel que soit l'objet de leur désir. Considérons d'abord ceux qui aspirent à une possession matérielle, et, parmi eux, dans* Eugénie Grandet *(1833), celui dont la passion exclusive et forcenée s'est cristallisée autour de l'or et a revêtu la forme de l'avarice. On pourra donc voir, dans le récit de la maladie et de l'agonie de Grandet, les manifestations suprêmes d'un désir qui, par essence, ne peut être apaisé, que la perspective de la fin porte à son paroxysme et qui s'avère cause de mort.*

Dès le matin il se faisait rouler entre la cheminée de sa chambre et la porte de son cabinet, sans doute plein d'or. Il restait là sans mouvement, mais il regardait tour à tour avec anxiété ceux qui venaient le voir et la porte doublée de fer. Il se faisait rendre compte des moindres bruits qu'il
5 entendait ; et, au grand étonnement du notaire, il entendait le bâillement de son chien dans la cour. Il se réveillait de sa stupeur apparente au jour et à l'heure où il fallait recevoir des fermages, faire des comptes avec les closiers[1], ou donner des quittances. Il agitait alors son fauteuil à roulettes jusqu'à ce qu'il se trouvât en face de la porte de son cabinet. Il le faisait
10 ouvrir par sa fille, et veillait à ce qu'elle plaçât en secret elle-même les sacs d'argent les uns sur les autres, à ce qu'elle fermât la porte. Puis il revenait à sa place silencieusement aussitôt qu'elle lui avait rendu la précieuse clef, toujours placée dans la poche de son gilet, et qu'il tâtait de temps en temps. D'ailleurs son vieil ami le notaire[2], sentant que la riche héritière
15 épouserait nécessairement son neveu le président si Charles Grandet[3] ne revenait pas, redoubla de soins et d'attentions : il venait tous les jours se mettre aux ordres de Grandet, allait à son commandement à Froidfond[4], aux terres, aux prés, aux vignes, vendait les récoltes, et transmutait[5] tout

1. Fermiers d'une closerie (clos, vignoble). – **2.** M. Cruchot dont le neveu est président au tribunal de Saumur. – **3.** Cousin d'Eugénie. La jeune fille, éprise de lui, attend vainement son retour. – **4.** Terre achetée, grâce au notaire, par Grandet. – **5.** Changer. Ce terme appartient au vocabulaire de l'alchimie.

en or et en argent qui venait se réunir secrètement aux sacs empilés dans
20 le cabinet. Enfin arrivèrent les jours d'agonie, pendant lesquels la forte charpente du bonhomme fut aux prises avec la destruction. Il voulut rester assis au coin de son feu, devant la porte de son cabinet. Il attirait à lui et roulait toutes les couvertures que l'on mettait sur lui, et disait à Nanon[6] : « Serre, serre ça, pour qu'on ne me vole pas. » Quand il pouvait
25 ouvrir les yeux, où toute sa vie s'était réfugiée, il les tournait aussitôt vers la porte du cabinet où gisaient ses trésors en disant à sa fille : « Y sont-ils ? y sont-ils ? d'un son de voix qui dénotait une sorte de peur panique.

« Oui, mon père.

– Veille à l'or, mets de l'or devant moi. »

30 Eugénie lui étendait des louis sur une table, et il demeurait des heures entières les yeux attachés sur les louis, comme un enfant qui, au moment où il commence à voir, contemple stupidement le même objet ; et, comme à un enfant, il lui échappait un sourire pénible.

« Ça me réchauffe ! » disait-il quelquefois en laissant paraître sur sa
35 figure une expression de béatitude.

Lorsque le curé de la paroisse vint l'administrer, ses yeux, morts en apparence depuis quelques heures, se ranimèrent à la vue de la croix, des chandeliers, du bénitier d'argent qu'il regarda fixement, et sa loupe remua pour la dernière fois. Lorsque le prêtre lui approcha des lèvres le
40 crucifix en vermeil pour lui faire baiser le Christ, il fit un épouvantable geste pour le saisir, et ce dernier effort lui coûta la vie, il appela Eugénie, qu'il ne voyait pas quoiqu'elle fût agenouillée devant lui et qu'elle baignât de ses larmes une main déjà froide.

« Mon père, bénissez-moi ? demanda-t-elle.

45 – Aie bien soin de tout. Tu me rendras compte de ça là-bas », dit-il en prouvant par cette dernière parole que le christianisme doit être la religion des avares.

Balzac, *Eugénie Grandet* (« Folio », pp. 190-192).

6. Servante de la maison.

Guide d'analyse

1. Analysez la structure de ce passage. Distinguez deux types de récit.

2. Comment se traduit dans le texte la passion – l'obsession – de Grandet ? En vous inspirant également de *Gobseck* (1830) et de *Facino Cane* (1836), vous justifierez cette affirmation d'Albert Béguin *(Balzac lu et relu)* : « [L'or] n'est pas un simple synonyme de l'argent (...). Le métal précieux garde quelque lien, par association subconsciente, avec ses vieux prestiges mythiques. »

3. Essayez de caractériser le ton de cette page et de qualifier le regard de Balzac sur son personnage.

La Cousine Bette : Un vieillard débauché

La Cousine Bette *(1846), histoire d'une vengeance, est aussi le récit de la déchéance du baron Hulot. Cédant à une passion dont les exigences se font avec le temps de plus en plus pressantes, s'abandonnant totalement à son amour des femmes, il conduit les siens à la ruine, se déshonore publiquement et réalise ainsi, à son insu, le dessein de Bette : consommer la perte de la famille Hulot. « Quasi dissous », anéanti physiquement et socialement, mais possédé encore par le besoin irrépressible d'assouvir ses désirs, il s'en remet à une cantatrice qu'il a autrefois entretenue, Josépha.*

De l'étude de cette scène qui se joue entre une courtisane et son ancien protecteur, se dégagent les thèmes fondamentaux, et intimement liés, de l'argent et de la luxure, qui dans un univers devenu plus laid – telle est dans La Comédie humaine *l'image de la société à la fin du règne de Louis-Philippe – apparaissent comme les seuls ressorts d'êtres plus vils et plus bassement néfastes.*

« Josépha ! c'est moi !... »

L'illustre cantatrice ne reconnut son Hulot qu'à la voix.

« Comment, c'est toi ! mon pauvre vieux ?... Ma parole d'honneur, tu ressembles aux pièces de vingt francs que les juifs d'Allemagne ont lavées 5 et que les changeurs refusent.

– Hélas ! oui, répondit Hulot, je sors des bras de la Mort ! Mais tu es toujours belle, toi ! seras-tu bonne ?

– C'est selon, tout est relatif ! dit-elle.

– Écoute-moi, reprit Hulot. Peux-tu me loger dans une chambre de 10 domestique, sous les toits, pendant quelques jours ? Je suis sans un liard, sans espérance, sans pain, sans pension, sans femme, sans enfants, sans asile, sans honneur, sans courage, sans ami, et, pis que cela ! sous le coup de lettres de change[1]...

– Pauvre vieux ! c'est bien des sans ! Es-tu aussi sans-culotte ?

15 – Tu ris, je suis perdu ! s'écria le baron. Je comptais cependant sur toi, comme Gourville sur Ninon[2].

– C'est, m'a-t-on dit, demanda Josépha, une femme du monde qui t'a mis dans cet état-là ? Les farceuses s'entendent mieux que nous à la plumaison du dinde[3]. Oh ! te voilà comme une carcasse abandonnée par les 20 corbeaux... on voit le jour à travers !

---

1. Hulot a souscrit à un usurier des lettres de change et risque d'être sous le coup de la contrainte par corps. – **2.** Jean-Hérault de Gourville (1625-1703) fut accusé d'avoir dilapidé les fonds de l'État. Condamné à mort, il fut sauvé par Ninon de Lenclos dont il était l'amant. – **3.** Au masculin, mis pour « coq d'Inde ».

– Le temps presse ! Josépha !

– Entre, mon vieux ! je suis seule, et mes gens ne te connaissent pas. Renvoie ta voiture. Est-elle payée ?

– Oui, dit le baron en descendant appuyé sur le bras de Josépha.

25 – Tu passeras, si tu veux, pour mon père », dit la cantatrice prise de pitié.

Elle fit asseoir Hulot dans le magnifique salon où il l'avait vue la dernière fois.

« Est-ce vrai, vieux, reprit-elle, que tu as tué ton frère[4] et ton oncle[5],
30 ruiné ta famille, surhypothéqué la maison de tes enfants et mangé la grenouille[6] du gouvernement en Afrique avec la princesse ? »

Le baron inclina tristement la tête.

« Eh bien, j'aime cela ! s'écria Josépha, qui se leva pleine d'enthousiasme. C'est un *brûlage*[7] général ! C'est sardanapale[8] ! c'est grand ! c'est
35 complet ! On est une canaille, mais on a du cœur. Eh bien ! moi, j'aime mieux un mange-tout, passionné comme toi pour les femmes, que ces froids banquiers sans âme qu'on dit vertueux et qui ruinent des milliers de familles avec leurs rails qui sont de l'or pour eux et du fer pour les *Gogos*[9] ! Toi ! tu n'as ruiné que les tiens, tu n'as disposé que de toi ! et puis
40 tu as une excuse, et physique et morale... »

Elle se posa tragiquement et dit :

C'est Vénus tout entière à sa proie attachée[10].

« Et voilà ! » ajouta-t-elle en pirouettant.

Hulot se trouvait absous par le Vice, le Vice lui souriait au milieu de
45 son luxe effréné. La grandeur des crimes était là, comme pour les jurés, une circonstance atténuante.

Balzac, *La Cousine Bette* (« Folio », pp. 364-365).

4. Le maréchal Hulot, que tua l'indignité de son frère. – **5.** Johann Fischer, que le baron Hulot envoya en Algérie « pour tripoter sur les grains et les fourrages » et qui, prenant conscience de cette infamie, se suicida. – **6.** S'approprier un fonds commun dont on est dépositaire. – **7.** Destruction par le feu des herbes et des broussailles. – **8.** Roi assyrien célèbre, selon la légende, pour son luxe et sa débauche. – **9.** Hommes naïfs faciles à tromper. – **10.** Racine, *Phèdre* (Acte 1, scène 3).

Éléments de commentaire composé

I. L'argent.

a) *L'argent, fondement de la liaison des deux personnages.*

Hulot a autrefois entretenu Josépha (d'où l'emploi de l'adjectif possessif « *son* Hulot » et le ton de complicité triviale). Mais la relation est désormais inversée : Hulot, ruiné, vient se faire entretenir par la cantatrice richement installée, par le duc d'Hérouville, dans un « magnifique salon » au « luxe effréné ».

b) *L'argent, moyen d'assouvir les désirs et prix du plaisir.*

Hulot a dilapidé sa fortune pour une « farceuse » (Valérie Marneffe). Notons, dans la bouche de Josépha, l'image de la dinde plumée et dans le discours de Hulot la place de l'argent, en tête et à la fin de l'énumération de tout ce qui lui fait défaut : « sans liard » ; « sous le coup de lettres de change ». Balzac insiste du reste sur cette question matérielle (avec la mention de la voiture à payer).

c) *L'image de l'argent.*

L'argent réapparaît de manière obsessionnelle à titre d'image (comparaison de Hulot vieilli aux « pièces de vingt francs que les juifs d'Allemagne ont lavées » ; opposition d'un Hulot qui dépense sans compter son argent et ses forces vitales, aux « froids banquiers » calculateurs.

II. La luxure.

a) *Une passion exclusive.*

La passion est devenue monomanie. Hulot n'est plus que luxure. La multiple répétition de « sans » marque la négation en lui de tout autre sentiment (« honneur » ; « courage » ; « espérance ») et autour de lui du monde (« femme » ; « enfants » ; « amis »). Cette obsession transparaît dans son langage, avec l'image révélatrice de la mort – femme et courtisane (« je sors des bras de la Mort »).

b) *Une passion dévorante.*

Hulot est désormais un vieillard méconnaissable, vidé de sa substance, rongé par la débauche – comparé à une « carcasse abandonnée par les corbeaux ». On peut mesurer, à travers l'œuvre, la dégradation physique du personnage, signe de l'usure de l'être par la passion et illustration de l'axiome fondamental de l'œuvre balzacienne.

c) *Une passion dévastatrice.*

Tout est sacrifié à la luxure ; femme, enfants, considération sociale, rien n'a pu résister à la puissance de ce désir qui élimine les obstacles et pour qui tout devient moyen au service de la passion. Josépha, dans son éloge final, souligne l'étendue de ces ravages (par l'image du « brûlage général »).

L'être est ainsi soumis à des forces contre lesquelles il ne peut lutter : la passion apparaît comme fatale et inéluctable – ce que signale Josépha en citant (de manière grotesque) le vers célèbre de *Phèdre.*

III. Laideur et dérision.

a) *Vulgarité de Josépha.*

Relevons les formules irrespectueuses à l'adresse de Hulot (« mon pauvre vieux »), les comparaisons triviales (« comme une carcasse abandonnée par les corbeaux »), les expressions familières (« manger la grenouille » ; « gogos »), les plaisanteries grossières (sans culotte). A cela se joint la dérision finale du jeu de Josépha (« elle se posa » ; « en pirouettant ») qui réduit la fatalité écrasant Phèdre à la frénésie sensuelle de Hulot.

b) *Bassesse de Hulot.*

Le baron quémande à la courtisane « une chambre de domestique » ; il n'a reculé devant aucun acte honteux (allusion à des malversations financières) et il apparaît comme une « canaille » de petite envergure. En effet, en dépit de termes qui tendraient à exalter le crime, il n'y a nulle commune mesure entre la figure d'un Vautrin (qui incarne véritablement la grandeur et la poésie du mal) et celle d'un piètre et pitoyable Hulot. Et l'éloge final, prononcé par une prostituée qui cherche des « excuses » pour « absoudre », n'est que dérisoire.

Rapprochons enfin Hector Hulot du héros de *La Recherche de l'absolu* (1834), Balthazar Claës. Tous deux pères indignes sacrifiant leur famille à une passion exigeante et ravageuse – l'un dans l'ordre de la chair, l'autre dans l'ordre de l'esprit – ils figurent à première vue des doubles. Mais il faut constater le changement de tonalité des œuvres, l'assombrissement de la vision du monde que nous livre le romancier. Ainsi se révèlent, à travers ce dialogue entre Josépha et Hulot, la médiocrité de l'être humain, dégradé par de basses pulsions, et la laideur d'un univers corrompu par l'argent.

Maison de Balzac à Saché, en Touraine.

2. L'amour

Le Lys dans la vallée : Une déclaration métaphorique

« Elle était, comme vous le savez déjà, sans rien savoir encore, LE LYS DE CETTE VALLÉE... *» Ainsi s'exprime Félix de Vandenesse quand il évoque dans* Le Lys dans la vallée *(1835) la figure de la Dilecta, Madame de Mortsauf. Image de la femme-fleur, correspondance entre le cadre naturel privilégié de la Touraine et l'héroïne, mais aussi métaphore fondamentale et leitmotiv de ce roman poétique : ne pouvant dire un amour qu'interdisent la société et la religion, c'est dans les « fugitives allégories » de ses bouquets que Félix suggérera ses émotions et ses désirs – langage secret, au-delà de la parole, que saura entendre Madame de Mortsauf.*

Avez-vous senti dans les prairies, au mois de mai, ce parfum qui communique à tous les êtres l'ivresse de la fécondation, qui fait qu'en bateau vous trempez vos mains dans l'onde, que vous livrez au vent votre chevelure, et que vos pensées reverdissent comme les touffes forestières ? Une
5 petite herbe, la flouve odorante, est un des plus puissants principes de cette harmonie voilée. Aussi personne ne peut-il la garder impunément près de soi. Mettez dans un bouquet ses lames luisantes et rayées comme une robe à filets blancs et verts, d'inépuisables exhalations remueront au fond de votre cœur les roses en bouton que la pudeur y écrase. Autour du
10 col évasé de la porcelaine, supposez une forte marge uniquement composée des touffes blanches particulières au sédum des vignes en Touraine ; vague image des formes souhaitées, roulées comme celles d'une esclave soumise. De cette assise sortent les spirales des liserons à cloches blanches, les brindilles de la bugrane rose, mêlées de quelques fougères, de
15 quelques jeunes pousses de chêne aux feuilles magnifiquement colorées et lustrées ; toutes s'avancent prosternées, humbles comme des saules pleureurs, timides et suppliantes comme des prières. Au-dessus, voyez les fibrilles déliées, fleuries, sans cesse agitées de l'amourette purpurine qui verse à flots ses anthères presque jaunes, les pyramides neigeuses du patu-
20 rin des champs et des eaux, la verte chevelure des bromes stériles, les panaches effilés de ces agrostis nommés les épis du vent ; violâtres espérances dont se couronnent les premiers rêves et qui se détachent sur le fond gris de lin où la lumière rayonne autour de ces herbes en fleurs. Mais déjà plus haut, quelques roses du Bengale clairsemées parmi les folles den-
25 telles du daucus, les plumes de la linaigrette, les marabouts de la reine des

prés, les ombellules du cerfeuil sauvage, les blonds cheveux de la clématite en fruits, les mignons sautoirs de la croisette au blanc de lait, les corymbes des millefeuilles, les tiges diffuses de la fumeterre aux fleurs roses et noires, les vrilles de la vigne, les brins tortueux des chèvrefeuilles ; enfin
30 tout ce que ces naïves créatures ont de plus échevelé, de plus déchiré, des flammes et de triples dards, des feuilles lancéolées, déchiquetées, des tiges tourmentées comme les désirs entortillés au fond de l'âme. Du sein de ce prolixe torrent d'amour qui déborde, s'élance un magnifique double pavot rouge accompagné de ses glands prêts à s'ouvrir, déployant les
35 flammèches de son incendie au-dessus des jasmins étoilés et dominant la pluie incessante du pollen, beau nuage qui papillote dans l'air en reflétant le jour dans ses mille parcelles luisantes ! Quelle femme enivrée par la senteur d'Aphrodise cachée dans la flouve, ne comprendra ce luxe d'idées soumises, cette blanche tendresse troublée par des mouvements indomp-
40 tés, et ce rouge désir de l'amour qui demande un bonheur refusé dans les luttes cent fois recommencées de la passion contenue, infatigable, éternelle ? Mettez ce discours dans la lumière d'une croisée, afin d'en montrer les frais détails, les délicates oppositions, les arabesques, afin que la souveraine émue y voie une fleur plus épanouie et d'où tombe une larme ; elle
45 sera bien près de s'abandonner, il faudra qu'un ange ou la voix de son enfant la retienne au bord de l'abîme. Que donne-t-on à Dieu ? des parfums, de la lumière et des chants, les expressions les plus épurées de notre nature. Eh bien tout ce qu'on offre à Dieu n'était-il pas offert à l'amour[1] dans ce poème de fleurs lumineuses qui bourdonnait incessamment ses
50 mélodies au cœur, en y caressant des voluptés cachées, des espérances inavouées, des illusions qui s'enflamment et s'éteignent comme des fils de la vierge[2] par une nuit chaude ?

Balzac, *Le Lys dans la vallée* (« Folio », pp. 119-121).

---

1. Thème de la proximité de l'amour humain et de l'amour divin, de la sensualité et de la spiritualité. – **2.** Longue soie émise par une araignée. Balzac joue sur les mots.

Guide d'analyse

1. La fusion de la femme et de la fleur. Étudiez les correspondances qui se tissent entre la femme et la fleur et précisez-en la signification.

2. Le langage de l'amour. Soulignez comment le bouquet devient, par ses parfums, ses formes et ses teintes, l'image de la passion de Félix.

3. La couleur poétique. Ce « poème de fleurs lumineuses », cette « symphonie » visuelle et olfactive ne pouvaient être exprimés que poétiquement ou musicalement. Essayez de caractériser les procédés par lesquels l'écriture balzacienne accède au poétique.

Splendeurs et misères des courtisanes : La rencontre de Nucingen et d'Esther

Dans Splendeurs et misères des courtisanes *(I, 1839), Balzac reprend le personnage du financier alsacien, Nucingen, mais l'éclaire d'un jour nouveau : ce banquier cynique et impassible qui « regardait comme un bonheur d'en avoir fini avec les femmes, desquelles il disait, sans se gêner, que la plus angélique ne valait pas ce qu'elle coûtait, même quand elle se donnait gratis », est confronté désormais à l'amour – en la personne d'Esther, ancienne prostituée, maîtresse de Lucien de Rubempré et instrument dans la main de Vautrin. Et parce qu'il incarne à la fois le capitaliste tout-puissant et le vieillard lâchement amoureux, Nucingen est ici traité comme un personnage comique.*

Dans ces circonstances, par une belle nuit du mois d'août, le baron de Nucingen revenait à Paris de la terre d'un banquier étranger établi en France, et chez lequel il avait dîné. Cette terre est à huit lieues de Paris, en pleine Brie. Or, comme le cocher du baron s'était vanté d'y mener son
5 maître et de le ramener avec ses chevaux, ce cocher prit la liberté d'aller lentement quand la nuit fut venue. En entrant dans le bois de Vincennes, voici la situation des bêtes, des gens et du maître. Libéralement abreuvé à l'office de l'illustre autocrate du Change, le cocher, complètement ivre, dormait, tout en tenant les guides, à faire illusion aux pas-
10 sants. Le valet, assis derrière, ronflait comme une toupie d'Allemagne, pays des petites figures en bois sculpté, des grands Reinganum[1] et des toupies. Le baron voulut penser ; mais, dès le pont de Gournay, la douce somnolence de la digestion lui avait fermé les yeux. A la mollesse des guides, les chevaux comprirent l'état du cocher ; ils entendirent la basse
15 continue du valet en vigie à l'arrière, ils se virent les maîtres, et profitèrent de ce petit quart d'heure de liberté pour marcher à leur fantaisie. En esclaves intelligents, ils offrirent aux voleurs l'occasion de dévaliser l'un des plus riches capitalistes[2] de France, le plus profondément habile de ceux qu'on a fini par nommer assez énergiquement des loups-cerviers[3].
20 Enfin, devenus les maîtres et attirés par cette curiosité que tout le monde a pu remarquer chez les animaux domestiques, ils s'arrêtèrent, dans un rond-point quelconque, devant d'autres chevaux à qui sans doute ils dirent en langue de cheval : « A qui êtes-vous ? Que faites-vous ? Êtes-vous

1. Mis sans doute pour ringelum, qui peut signifier toupie. – 2. Hommes qui disposent d'importantes liquidités. – 3. Autre nom du lynx. Terme appliqué aux financiers.

heureux? » Quand la calèche ne roula plus, le baron assoupi s'éveilla. Il
25 crut d'abord n'avoir pas quitté le parc de son confrère; puis il fut surpris par une vision céleste qui le trouva sans son arme habituelle, le calcul. Il faisait un clair de lune si magnifique qu'on aurait pu tout lire, même un journal du soir. Par le silence des bois, et à cette lueur pure, le baron vit une femme seule qui, tout en montant dans une voiture de louage,
30 regarda le singulier spectacle de cette calèche endormie. A la vue de cet ange, le baron de Nucingen fut comme illuminé par une lumière intérieure. En se voyant admirée, la jeune femme abaissa son voile avec un geste d'effroi. Un chasseur jeta un cri rauque dont la signification fut bien comprise par le cocher, car la voiture fila comme une flèche. Le vieux
35 banquier ressentit une émotion terrible : le sang qui lui revenait des pieds charriait du feu à sa tête, sa tête renvoyait des flammes au cœur; la gorge se serra. Le malheureux craignit une indigestion, et, malgré cette appréhension capitale, il se dressa sur ses pieds.

« *Hau crante callot! fichi pédate ki tord!* cria-t-il. *Sante frante si di had-*
40 *drappe cedde foidire.* »

A ces mots, *cent francs*, le cocher se réveilla, le valet de l'arrière les entendit sans doute dans son sommeil. Le baron répéta l'ordre, le cocher mit les chevaux au grand galop, et réussit à rattraper, à la barrière du Trône, une voiture à peu près semblable à celle où Nucingen avait vu la
45 divine inconnue, mais où se prélassait le premier commis de quelque riche magasin, avec une *femme comme il faut* de la rue Vivienne[4]. Cette méprise consterna le baron.

Balzac, *Splendeurs et misères des courtisanes*, 1re partie, « Comment aiment les filles » (« Folio », pp. 110-112).

---

4. Lieu d'une prostitution d'un niveau élevé.

Guide d'analyse

1. Analysez le comique, tant dans le récit du voyage en calèche que dans celui de la rencontre.

2. Soulignez la liaison étroite des thèmes de l'argent et de l'amour. A quoi tient-elle ici? Comment s'exprime-t-elle dans le texte?

3. Quels sont les signes de la naissance de la passion? A la lecture de la deuxième partie de *Splendeurs et misères des courtisanes,* vous préciserez quelle exploitation sera faite de l'amour de Nucingen pour Esther.

3. La quête de l'Absolu

La Recherche de l'Absolu : Passion de la connaissance

C'est une ardeur semblable, même si elle emprunte une voie différente et poursuit un autre but, qui illumine et consume Balthazar Claës, le héros de La Recherche de l'Absolu *(1834). Savant de génie, chimiste moderne auteur d'expériences fondamentales, il prétend parvenir à une explication scientifique globale du monde et découvrir la formule qui rendrait compte de la création. Dans une page remarquable, Balzac le montre à l'œuvre dans son laboratoire, possédé par cette passion qui marque ses traits et jette sur lui un éclairage quasi fantastique – nouveau Faust travaillant à ravir à la nature son secret mais aussi nouveau Prométhée avide du pouvoir que lui assurerait son savoir.*

Balthazar ne descendit pas. Lassée de l'attendre, Marguerite[1] monta au laboratoire. En entrant, elle vit son père au milieu d'une pièce immense, fortement éclairée, garnie de machines et de verreries poudreuses ; çà et là, des livres, des tables encombrées de produits étiquetés, numérotés. Partout le désordre qu'entraîne la préoccupation du savant y froissait les habitudes flamandes. Cet ensemble de matras[2], de cornues, de métaux, de cristallisations fantasquement colorées, d'échantillons accrochés aux murs, ou jetés sur des fourneaux, était dominé par la figure de Balthazar Claës qui, sans habit, les bras nus comme ceux d'un ouvrier, montrait sa poitrine couverte de poils blanchis comme ses cheveux. Ses yeux horriblement fixes ne quittèrent pas une machine pneumatique. Le récipient de cette machine était coiffé d'une lentille formée par de doubles verres convexes dont l'intérieur était plein d'alcool et qui réunissait les rayons du soleil entrant alors par l'un des compartiments de la rose du grenier. Le récipient, dont le plateau était isolé, communiquait avec les fils d'une immense pile de Volta. Lemulquinier[3], occupé à faire mouvoir le plateau de cette machine montée sur un axe mobile, afin de toujours maintenir la lentille dans une direction perpendiculaire aux rayons du soleil, se leva, la face noire de poussière, et dit : « Ah ! mademoiselle, n'approchez pas ! »

1. Fille de Balthazar Claës. – **2.** Vases de verre ou de terre au col long et étroit utilisés en alchimie et en chimie. – **3.** Valet de Claës.

20 L'aspect de son père qui, presque agenouillé devant sa machine, recevait d'aplomb la lumière du soleil, et dont les cheveux épars ressemblaient à des fils d'argent, son crâne bossué, son visage contracté par une attente affreuse, la singularité des objets qui l'entouraient, l'obscurité dans laquelle se trouvaient les parties de ce vaste grenier d'où s'élançaient 25 des machines bizarres, tout contribuait à frapper Marguerite qui se dit avec terreur : « Mon père est fou ! » Elle s'approcha de lui pour lui dire à l'oreille : « Renvoyez Lemulquinier.

– Non, non, mon enfant, j'ai besoin de lui, j'attends l'effet d'une belle expérience à laquelle les autres n'ont pas songé. Voici trois jours que 30 nous guettons un rayon de soleil. J'ai les moyens de soumettre les métaux, dans un vide parfait, aux feux solaires concentrés et à des courants électriques[4]. Vois-tu, dans un moment, l'action la plus énergique dont puisse disposer un chimiste va éclater, et moi seul[5]...

– Eh ! mon père, au lieu de vaporiser les métaux, vous devriez bien les 35 réserver pour payer vos lettres de change...

– Attends, attends !

– M. Mersktus[6] est venu, mon père, il lui faut dix mille francs à quatre heures.

– Oui, oui, tout à l'heure. J'avais signé ces petits effets pour ce mois-ci, 40 c'est vrai. Je croyais que j'aurais trouvé l'Absolu. Mon Dieu, si j'avais le soleil de juillet, mon expérience serait faite ! »

Il se prit par les cheveux, s'assit sur un mauvais fauteuil de canne, et quelques larmes roulèrent dans ses yeux.

« Monsieur a raison. Tout ça, c'est la faute de ce gredin de soleil qui est 45 trop faible, le lâche, le paresseux ! »

Le maître et le valet ne faisaient plus attention à Marguerite.

Balzac, *La Recherche de l'Absolu* (« Folio », pp. 211-213).

4. Les expériences de Claës sont authentiques : l'idée de la réduction des métaux avec une machine pneumatique est empruntée au chimiste Thilorier. – **5.** A la passion de la science se joint chez ce personnage l'orgueil. Or, c'est cette démesure, et non le génie, qui le rendra fou. – **6.** Banquier qui vient toucher une lettre de change souscrite par Balthazar.

Guide d'analyse

1. Montrez que l'intensité de la passion du héros donne au texte une coloration fantastique.

2. Étudiez comment s'exprime l'orgueil démesuré du chercheur et quelles formes il revêt.

3. Caractérisez les rapports de Claës et de sa fille. Précisez la fonction romanesque du personnage de Marguerite.

4. En quoi Balthazar Claës peut-il être considéré comme un « personnage épique »?

Séraphîta : L'expérience mystique

Aux passions charnelles ou intellectuelles viennent se joindre dans l'univers balzacien les passions spirituelles. Aux côtés des sensuels et des génies figurent dans La Comédie humaine *les mystiques. A l'Instinct et à l'Abstraction, qui appartiennent au monde naturel, s'ajoute, selon la distinction opérée par le romancier dans* Séraphîta *(V, 1835), la Spécialité ou don de seconde vue qui permet une saisie intuitive du divin. Dans ce texte, Séraphîta-Séraphîtus, être androgyne et esprit angélique, initie à la prière Wilfrid et Minna et leur indique « le chemin pour aller au ciel ».*

« Conduisez-nous, Séraphîta! s'écria Wilfrid qui vint se joindre à Minna par un mouvement impétueux. Oui, tu m'as enfin donné soif de la Lumière et soif de la Parole; je suis altéré de l'amour que tu m'as mis au cœur, je conserverai ton âme en la mienne; jettes-y ton vouloir, je ferai ce que tu me diras de faire. Si je ne puis t'obtenir, je veux garder de toi tous les sentiments que tu me communiqueras! Si je ne puis m'unir à toi que par ma seule force, je m'y attacherai comme le feu s'attache à ce qu'il dévore. Parle!

– Ange! s'écria cet être incompréhensible en les enveloppant tous deux par un regard qui fut comme un manteau d'azur. Ange, le ciel sera ton héritage! »

Il se fit entre eux un grand silence après cette exclamation qui détona dans les âmes de Wilfrid et de Minna comme le premier accord de quelque musique céleste.

15 « Si vous voulez habituer vos pieds à marcher dans le chemin qui mène au Ciel, sachez bien que les commencements en sont rudes, dit cette âme endolorie. Dieu veut être cherché pour lui-même. En ce sens, il est jaloux, il vous veut tout entier ; mais quand vous vous êtes donné à lui, jamais il ne vous abandonne. Je vais vous laisser les clefs du royaume où brille sa 20 lumière, où vous serez partout dans le sein du Père, dans le cœur de l'Époux. Aucune sentinelle n'en défend les approches, vous pouvez y entrer de tous côtés ; son palais, ses trésors, son sceptre, rien n'est gardé ; il a dit à tous : "Prenez-les !" Mais il faut vouloir y aller. Comme pour faire un voyage, il est nécessaire de quitter sa demeure, de renoncer à ses pro- 25 jets, de dire adieu à ses amis, à son père, à sa mère, à sa sœur, et même au plus petit des frères qui crie, et leur dire des adieux éternels, car vous ne reviendrez pas plus que les martyrs en marche vers le bûcher ne retournaient au logis ; enfin, il faut vous dépouiller des sentiments et des choses auxquels tiennent les hommes, sans quoi vous ne seriez pas tout entiers à 30 votre entreprise[1]. Faites pour Dieu ce que vous faisiez pour vos desseins ambitieux, ce que vous faites en vous vouant à un art, ce que vous avez fait quand vous aimiez une créature plus que lui, ou quand vous poursuiviez un secret de la science humaine[2]. Dieu n'est-il pas la science même, l'amour même, la source de toute poésie ? Son trésor ne peut-il exciter la 35 cupidité ? Son trésor est inépuisable, sa poésie est infinie, son amour est immuable, sa science est infaillible et sans mystères ! Ne tenez donc à rien, il vous donnera tout. Oui, vous retrouverez dans son cœur des biens incomparables à ceux que vous aurez perdus sur la terre. Ce que je vous dis est certain : vous aurez sa puissance, vous en userez comme vous usez 40 de ce qui est à votre amant ou à votre maîtresse. »

Balzac, *Séraphîta*, VI, « Le chemin pour aller au ciel », « La Pléiade, XI », Éd. Gallimard, pp. 842-844.

---

1. Séraphîta souligne la nécessité de l'ascèse pour qui veut trouver Dieu. Seules la retraite et la vie contemplative permettent à l'homme d'accéder à la lumière. – **2.** Voir *La Fille aux yeux d'or* où Balzac évoque cette passion pour l'infini « qui poussait Don Juan à fouiller le cœur des femmes, en espérant y trouver cette pensée sans bornes (...) que les savants croient entrevoir dans la science et que les mystiques trouvent en Dieu seul ». Ainsi s'expriment dans l'ordre de la chair, de l'esprit et du cœur le même désir de possession, la même aspiration à la satisfaction.

Guide d'analyse

1. Étudiez comment est exprimée l'idée qu'en l'amour de Dieu se réalisent, se dépassent et se subliment toutes les autres passions.

2. Commentez les images qui traduisent la quête mystique.

3. Montrez que chez Balzac l'élan mystique est moins fusion dans le divin que désir de possession. Essayez de définir la religion de Balzac, sa relation à Dieu.

Gobseck : Le désir de la totalité

Il est sans doute plus difficile de définir, dans Gobseck *(1830), la « passion » du héros. Il semblerait à première vue qu'il fût frère de Grandet et de ces autres avares ou usuriers qu'anime la soif de la richesse. Mais à étudier de près la longue profession de foi du personnage, on découvre que l'or y est glorifié pour les pouvoirs qu'il confère à son possesseur – pouvoir de contempler la destinée humaine, pouvoir de l'infléchir et de la modeler. L'or devient par là le symbole de la connaissance et de la puissance suprêmes et Gobseck l'incarnation de la quête métaphysique et du désir de la totalité qui fait de l'homme le rival du Créateur.*

« Souvent une jeune fille amoureuse, un vieux négociant sur le penchant de sa faillite, une mère qui veut cacher la faute de son fils, un artiste sans pain, un grand sur le déclin de la faveur, et qui, faute d'argent, va perdre le fruit de ses efforts, m'ont fait frissonner par la puissance de leur parole. Ces sublimes acteurs jouaient pour moi seul, et sans pouvoir me tromper. Mon regard est comme celui de Dieu[1], je vois dans les cœurs. Rien ne m'est caché. L'on ne refuse rien à qui lie et délie les cordons du sac. Je suis assez riche pour acheter les consciences de ceux qui font mouvoir les ministres, depuis leurs garçons de bureau jusqu'à leurs maîtresses : n'est-ce pas le Pouvoir ? Je puis avoir les plus belles femmes et leurs plus tendres caresses, n'est-ce pas le Plaisir ? Le Pouvoir et le Plaisir ne résument-ils pas tout votre ordre social ? Nous sommes dans Paris une dizaine ainsi, tous rois silencieux et inconnus, les arbitres de vos destinées. La vie n'est-elle pas une machine à laquelle l'argent imprime le mouvement ? Sachez-le, les moyens se confondent toujours avec les résultats : vous n'arriverez jamais à séparer l'âme des sens, l'esprit de la matière. L'or est le spiritualisme de vos sociétés actuelles. Liés par le même intérêt, nous nous rassemblons à certains jours de la semaine au café Thémis, près du Pont-Neuf. Là, nous nous révélons les mystères de la finance. Aucune fortune ne peut nous mentir, nous possédons les secrets de toutes les familles. Nous avons une espèce de *livre noir* où s'inscrivent les notes les plus importantes sur le crédit public, sur la Banque, sur le Commerce. Casuistes de la Bourse, nous formons un Saint-Office où se jugent et s'analysent les actions les plus indifférentes de tous les gens qui possèdent une fortune quelconque, et nous devinons toujours vrai.

1. Cf. Goriot avec ses filles.

Celui-ci surveille la masse judiciaire, celui-là la masse financière ; l'un la masse administrative, l'autre la masse commerciale. Moi, j'ai l'œil sur les fils de famille, les artistes, les gens du monde, et sur les joueurs, la partie la plus émouvante de Paris. Chacun nous dit les secrets du voisin. Les pas-
30 sions trompées, les vanités froissées sont bavardes. Les vices, les désappointements, les vengeances sont les meilleurs agents de police. Comme moi, tous mes confrères ont joui de tout, se sont rassasiés de tout, et sont arrivés à n'aimer le pouvoir et l'argent que pour le pouvoir et l'argent même[2]. Ici, dit-il, en me montrant sa chambre nue et froide, l'amant le
35 plus fougueux, qui s'irrite ailleurs d'une parole et tire l'épée pour un mot, prie à mains jointes ! Ici le négociant le plus orgueilleux, ici la femme la plus vaine de sa beauté, ici le militaire le plus fier prient tous, la larme à l'œil ou de rage ou de douleur. Ici prient l'artiste le plus célèbre et l'écrivain dont les noms sont promis à la postérité. Ici enfin, ajouta-t-il en por-
40 tant la main à son front, se trouve une balance dans laquelle se pèsent les successions et les intérêts de Paris tout entier. Croyez-vous maintenant qu'il n'y ait pas de jouissances sous ce masque blanc dont l'immobilité vous a si souvent étonné ? » dit-il en me tendant son visage blême qui sentait l'argent. Je retournai chez moi stupéfait. Ce petit vieillard sec avait
45 grandi. Il s'était changé à mes yeux en une image fantastique où se personnifiait le pouvoir de l'or[3].

Balzac, *Gobseck*, « La Pléiade, II », Éd. Gallimard, pp. 976-977.

---

2. Comme l'Antiquaire de *La Peau de chagrin*, Gobseck préfère au pouvoir et au vouloir le savoir ou plus précisément le voir. S'il semble avoir dépassé toute passion humaine, c'est que ses aspirations sont plus vastes, son désir, d'un ordre supérieur : sa passion est volonté de la connaissance totale. – **3.** Albert Béguin (*Balzac lu et relu*, préface à *Gobseck*) propose cette interprétation intéressante : « Comme l'œuvre même de Balzac, la ténébreuse entreprise de l'usurier, maître des destinées, est en quelque manière entreprise prométhéenne, faustienne, « imitation de Dieu le Père ». Seulement – l'inquiétude balzacienne en est alertée depuis bien longtemps – cette tentative la plus haute porte risque d'être maudite. Le premier qui voulut imiter les pouvoirs divins, c'est le Prince de ce monde, celui qui s'appelle aussi le Singe de Dieu. La condamnation pourrait tomber comme la foudre, et la figure de Gobseck est marquée d'une souffrance qui n'est pas loin d'être une épouvante, la peur des agonies sans rémission. »

Guide d'analyse

1. Précisez quels sont les pouvoirs et les plaisirs que l'or assure à l'usurier Gobseck.

2. Étudiez les scènes de la comédie humaine qui se jouent sous ses yeux et qu'il évoque ici pour son interlocuteur, Derville. Que signifient les images théâtrales ?

3. Quelle dimension prend la « passion » de Gobseck ? Montrez qu'elle l'élève au-dessus de l'humanité et l'assimile à la Providence, au Destin. En quoi l'usurier est-il frère du romancier ?

Documentation, essais, recherches

1. Baudelaire, dans un texte célèbre paru en 1850, s'exprimait ainsi :

« Tous ses personnages sont doués de l'ardeur vitale dont il était animé lui-même. Toutes ses fictions sont aussi profondément colorées que les rêves. Depuis le sommet de l'aristocratie jusqu'aux bas-fonds de la plèbe, tous les acteurs de *La Comédie* sont plus âpres à la vie, plus actifs et rusés dans la lutte, plus patients dans le malheur, plus goulus dans la jouissance, plus angéliques dans le dévouement, que la comédie du vrai monde ne nous les montre. Bref, chacun, chez Balzac, même les portières, a du génie. Toutes les âmes sont des armes chargées de volonté jusqu'à la gueule. C'est bien Balzac lui-même. »

Vous rechercherez, dans *La Comédie humaine,* différentes figures animées par une passion ardente et vous dégagerez, par-delà la diversité de leurs désirs, leur parenté profonde.

2. Comment comprenez-vous cette réflexion de Pierre Barbéris :

« Une lecture superficielle peut ne voir à Balzac que culte du détail. Une lecture approfondie y trouve le réel en son mouvement, avec des hommes soumis, mais profondément *capables.* Le cadre et le lieu sont inventés, les héros sont trouvés, en leur nature moderne, d'une épopée vraie, à partir d'une vision totalement neuve. Ce n'est pas là réalisme de rappel à l'ordre, mais bien de vigueur, de promesse et d'affirmation. »

3. Hugo von Hofmannsthal, dans son étude sur *L'Univers de la Comédie humaine,* note : « Tous ces personnages si concrets ne sont pourtant que les incarnations éphémères d'une force indéfinissable. Un absolu transparaît à travers ces innombrables figures relatives. »

Vous commenterez ce jugement en tentant de définir l'absolu selon Balzac.

LECTURES MODERNES

Le désir et ses limites

Qu'il soit celui de la possession sensuelle ou celui de la possession intellectuelle, le désir appelle toujours un autre désir parce que le monde balzacien est celui d'une unité où rien n'a de sens ni de complétude par soi-même. Une idée appelle toutes les idées qui ont avec elle un lien de principe ou de conséquence. L'esprit appartient de naissance à la totalité de l'univers, et le désir qui en est le double, la projection charnelle, est lui aussi voué à cette totalité. A cette âme sans limite, il faut non cet amour, mais l'Amour, non ces biens matériels, mais cet Or mystique qui étincelle au fond des ténèbres ; à cet esprit sans limites, il faut les choses *« dans leurs ramifications originelles et conséquentielles »*. Rien n'est insignifiant, et rien n'a de sens par soi-même : il faut tout posséder. Dans le hâtif encyclopédisme balzacien perce cette fureur d'un esprit avide, et la même passion de la totalité donne aux célèbres inventaires, où l'on a voulu voir les scrupules du réalisme naissant, une sorte de mouvement désespéré. Dans son souci de l'élégance, du décor, de la vie, de la démarche, dans ses manies de collectionneur, dans la minutie avec laquelle il s'inquiète, écrivant de Wierzchownia à sa mère, des moindres détails de l'ameublement de la rue Fortunée, discernons, bien au-delà des signes de la frivolité, l'expression pathétique d'un désir qui veut tout entraîner dans son sillage. Sachons surprendre l'élan qui soulève ces lourdes pages, ces paragraphes sans blancs, sans pauses, ces romans sans chapitres où l'on ne parvient pas à saisir les arrêts de l'action – l'emportement de celui qui se sait engagé dans une course qu'il ne peut pas gagner, pour vouloir tout dire et tout posséder avant que le temps ne le rattrape. [...]

A supposer que la vie soit sans terme, que la suprême connaissance et la suprême puissance nous soient *données*, rien de tout cela n'aurait de sens pour nous. Il y a chez Balzac un espoir et un orgueil sans mesure, l'assurance que le voyant peut voir la création telle que le créateur l'a créée. Mais à quoi bon ? Nous accédons à la vision d'une création déjà faite : il ne nous est pas permis de la voir en la faisant. Dieu seul a le secret du mouvement, de l'acte dans la connaissance et dans la possession absolue ; en Dieu seul s'unissent la vie et la totalité. Dieu seul échappe à la mélancolie de la suprême puissance par l'activité qui consiste à créer le monde qu'il possède. La limite à laquelle se heurte le héros balzacien, et dont la mort n'est qu'un symbole, ce n'est pas la totalité inaccessible : *c'est la totalité déjà faite.* La vie humaine n'a pas de sens en dehors de la création. Et nous ne sommes pas le créateur.

Gaëtan Picon, *Balzac par lui-même.*

Beardsley : *Portrait de Balzac* pour la couverture d'une édition de *La Comédie humaine,* en 1900. Paris, B.N.

LA RECHERCHE DES CAUSES

« Pour mériter les éloges que doit ambitionner tout artiste, ne devais-je pas étudier les raisons ou la raison de ces effets sociaux, surprendre le sens caché dans cet immense assemblage de figures, de passions et d'événements? »

Balzac, *Avant-propos.*

LE « SYSTÈME » BALZACIEN

Balzac ne se contente pas de la présentation de l'homme moral et social : il lui importe de faire apparaître derrière les effets les causes, de trouver la raison des phénomènes. *La Comédie humaine* telle que la conçoit le romancier dans le catalogue de 1845 constitue un ensemble complet et soigneusement organisé, un système dans lequel sont pensés l'individu et la société. L'invention est donc étroitement liée à une démarche de l'intelligence qui s'empare du réel pour en dégager la signification.

LA PENSÉE, CAUSE DE MORT

Il ressort que la pensée (« Savez-vous ce que j'entends par pensée ? les passions, les vices et les vertus, les occupations extrêmes, les douleurs, les plaisirs... »[1]) est cause d'usure et de mort. Tel est le sens du mythe fondamental de *La Peau de chagrin* (1831) : « Vouloir nous brûle et pouvoir nous détruit. »[2] Toute affirmation de soi dévore l'être. Il faut donc choisir ou l'intensité ou la longévité. Or Balzac a cru un temps qu'une conciliation était possible : le savoir – possession imaginaire de toutes choses, comme le déclarait l'Antiquaire – mais également la création romanesque – délégation et préservation de la vie – pouvaient apparaître comme de moyens-termes entre la volonté de jouir et celle de durer. Mais bientôt l'écrivain comprend qu'il n'est pas d'issue, que le savoir consume l'individu, que l'œuvre ronge son auteur, bref que la pensée sous toutes ses formes est « l'ange exterminateur de l'humanité »[3].

Or les passions et leur déviation, leur exaspération sont des produits de la vie sociale. On ne peut donc étudier l'homme sans le mesurer à la société : le roman balzacien apparaît ainsi comme le lieu de la confrontation du personnage à un monde hostile et d'une lutte qui est cause de souffrance et de dégradation. Dans un univers immoral et égoïste où l'argent règne en maître, où les intérêts se heurtent, le personnage, s'il manque d'envergure et de cynisme, succombe, pris au piège d'un mécanisme qui le dépasse – tels César Birotteau et David Séchard.

LES CONCEPTIONS POLITIQUES DE BALZAC

Et c'est au travers de cette vision lucide et désabusée de l'homme et de la société qu'il faut comprendre les conceptions politiques de Balzac. Résolument monarchiste et catholique, il prend ouvertement position en faveur d'un régime autoritaire, appuyé sur la religion, qui assurerait l'ordre et l'unité du pays, et met nettement en cause la démocratie. « Les idées républicaines sont, dit-il, la première erreur de la jeunesse qui cherche la liberté »[4] – et l'œuvre révèle parfois cette vision spontanément démocratique que refoule l'auteur. Ainsi, de même que l'homme avide de jouissance opte pour la durée, l'écrivain d'abord opposant se prononce pour un conservatisme prudent.

Telle est la nouvelle dimension du réalisme balzacien – réalisme « scientifique » puisque l'écrivain ne se borne pas à observer et inventer, mais veut éclairer et comprendre ; réalisme critique parce que, au travers d'une description inexorablement exacte, l'œuvre est une mise en question de la réalité.

---

1. *Les Martyrs ignorés.* – **2.** *La Peau de chagrin.* – **3.** *Les Martyrs ignorés.*
4. Cité par Pierre Barbéris.

1. La pensée, « ange exterminateur de l'homme »

La Peau de chagrin : L'économie vitale

Dans son Introduction aux Études philosophiques *(1834) écrite sous l'inspiration de Balzac, Félix Davin souligne la fonction et la signification de* La Peau de chagrin *(1831), qui formule allégoriquement « le système de l'homme ». En effet, Raphaël entré en agonie, pénètre dans l'antre d'un antiquaire, personnage fantastique, figure tout à la fois paternelle et diabolique, qui lui fait don d'une peau de chagrin possédant le pouvoir magique de satisfaire tous les désirs mais se rétrécissant, à l'image de la vie, à chaque accomplissement d'un vœu.*

En ce mythe s'exprime la théorie fondamentale de la dépense de l'énergie dans la passion ou la pensée. Raphaël, détenteur et victime du talisman, sait désormais que pouvoir et vouloir brûlent l'être et préférant la durée à l'intensité, tente de préserver son existence en refusant tout désir, toute action. Mais soucieux de ménager sa vie, il la nie en fait : l'économie de soi apparaît en réalité comme une paralysie de l'individu, c'est-à-dire comme une autre forme de mort.

Enveloppé d'une robe de chambre à grands dessins, et plongé dans un fauteuil à ressorts, Raphaël lisait le journal. L'extrême mélancolie à laquelle il paraissait être en proie était exprimée par l'attitude maladive de son corps affaissé; elle était peinte sur son front, sur son visage pâle comme une fleur étiolée. Une sorte de grâce efféminée et les bizarreries particulières aux malades riches distinguaient sa personne. Ses mains, semblables à celles d'une jolie femme, avaient une blancheur molle et délicate. Ses cheveux blonds, devenus rares, se bouclaient autour de ses tempes par une coquetterie recherchée. Une calotte grecque, entraînée par un gland trop lourd pour le léger cachemire dont elle était faite, pendait sur un côté de sa tête. Il avait laissé tomber à ses pieds le couteau de malachite enrichi d'or dont il s'était servi pour couper les feuillets d'un

15 livre. Sur ses genoux était le bec d'ambre d'un magnifique houka[1] de l'Inde dont les spirales émaillées gisaient comme un serpent dans sa chambre, et il oubliait d'en sucer les frais parfums[2]. Cependant, la faiblesse générale de son jeune corps était démentie par des yeux bleus où toute la vie semblait s'être retirée, où brillait un sentiment extraordinaire 20 qui saisissait tout d'abord. Ce regard faisait mal à voir. Les uns pouvaient y lire du désespoir ; d'autres, y deviner un combat intérieur, aussi terrible qu'un remords. C'était le coup d'œil profond de l'impuissant qui refoule ses désirs au fond de son cœur, ou celui de l'avare jouissant par la pensée de tous les plaisirs que son argent pourrait lui procurer, et s'y refusant 25 pour ne pas amoindrir son trésor ; ou le regard du Prométhée enchaîné[3], de Napoléon déchu qui apprend à l'Élysée, en 1815, la faute stratégique commise par ses ennemis, qui demande le commandement pour vingt-quatre heures et ne l'obtient pas[4]. Véritable regard de conquérant et de damné ! et, mieux encore, le regard que, plusieurs mois auparavant, 30 Raphaël avait jeté sur la Seine ou sur sa dernière pièce d'or mise au jeu. Il soumettait sa volonté, son intelligence, au grossier bon sens d'un vieux paysan à peine civilisé par une domesticité de cinquante années[5]. Presque joyeux de devenir une sorte d'automate, il abdiquait la vie pour vivre, et dépouillait son âme de toutes les poésies du désir. Pour mieux lutter avec 35 la cruelle puissance dont il avait accepté le défi, il s'était fait chaste à la manière d'Origène[6] en châtrant son imagination. Le lendemain du jour où, soudainement enrichi par un testament, il avait vu décroître la Peau de chagrin, il s'était trouvé chez son notaire. Là, un médecin assez en vogue avait raconté sérieusement, au dessert, la manière dont un Suisse 40 attaqué de pulmonie s'en était guéri. Cet homme n'avait pas dit un mot pendant dix ans, et s'était soumis à ne respirer que six fois par minute dans l'air épais d'une vacherie, en suivant un régime alimentaire extrêmement doux. « Je serai cet homme ! » se dit en lui-même Raphaël, qui voulait vivre à tout prix.

Balzac, *La Peau de chagrin*, « L'agonie » (« Folio », pp. 261-263).

---

1. Pipe orientale. – **2.** Le Raphaël-étudiant pauvre dans sa mansarde connaissait la fascination de l'Orient (luxe et volupté). Le Raphaël-riche détenteur du talisman peut réaliser ce rêve oriental mais en même temps il le refuse car le désir conduit inéluctablement à la mort. De l'Orient rêvé à l'Orient vécu, possédé mais aussi repoussé, tel est bien l'itinéraire de Raphaël. – **3.** Prométhée, dans la tragédie d'Eschyle, fut enchaîné et cloué à un rocher sur l'ordre de Zeus contre lequel il s'était révolté. – **4.** Après Waterloo, Napoléon à Paris projetait de lever de nouvelles troupes. Mais il rencontra l'opposition de la Chambre. – **5.** Le domestique Jonathas veille au déroulement mécanique de la vie de Raphaël pour éviter à celui-ci d'émettre un désir qui abrègerait son existence. – **6.** Origène (185-254), docteur chrétien de langue grecque, se fit volontairement émasculer pour ne succomber à aucune tentation.

Alain Cuny dans l'adaptation télévisée de *La Peau de chagrin.*

Guide d'analyse

1. La contradiction. Mettez en évidence le contraste entre les apparences extérieures (luxe, volupté et poésie orientale) et la résolution profonde de Raphaël. Comment comprenez-vous « le combat intérieur » du héros ?

2. L'échec de la solution. Caractérisez d'après les images le choix de Raphaël.

3. « Le regard du Prométhée enchaîné ». Essayez de préciser en quoi réside le tragique du personnage et de la condition humaine.

La Peau de chagrin : La mort de Raphaël

Raphaël, retrouvant Pauline, figure féminine incarnant la générosité, le don de soi et l'amour absolu, par opposition à Fœdora, la femme sans cœur, sort du néant intérieur dans lequel il sombrait, de l'apathie qui lui semblait la condition de sa survie pour assouvir le désir qui s'empare de lui et mourir dans cet acte d'amour – comme le peintre auquel il doit peut-être son prénom. Ainsi le dénouement nous renvoie-t-il à l'ouverture du roman : la peau de chagrin qui est moins un objet fantastique qu'un miroir de l'homme et un symbole de sa destinée n'a fait que rendre lisible le sens de la conduite du héros : qu'il opte pour le gaspillage ou l'économie de soi, l'anéantissement ou l'inertie, il ne choisit en définitive qu'entre deux formes de mort.

Raphaël tira de dessous son chevet le lambeau de la Peau de chagrin, fragile et petit comme la feuille d'une pervenche, et le lui montrant : « Pauline, belle image de ma belle vie, disons-nous adieu, dit-il.

– Adieu ? répéta-t-elle d'un air surpris.

5 – Oui. Ceci est un talisman qui accomplit mes désirs, et représente ma vie. Vois ce qu'il m'en reste. Si tu me regardes encore, je vais mourir... »

La jeune fille crut Valentin devenu fou, elle prit le talisman, et alla chercher la lampe. Éclairée par la lueur vacillante qui se projetait également sur Raphaël et sur le talisman, elle examina très attentivement et le 10 visage de son amant et la dernière parcelle de la Peau magique. En la voyant belle de terreur et d'amour, il ne fut plus maître de sa pensée : les souvenirs des scènes caressantes et des joies délirantes de sa passion triomphèrent dans son âme depuis longtemps endormie, et s'y réveillèrent comme un foyer mal éteint.

15 « Pauline, viens ! Pauline ! »

Un cri terrible sortit du gosier de la jeune fille, ses yeux se dilatèrent, ses sourcils, violemment tirés par une douleur inouïe, s'écartèrent avec horreur, elle lisait dans les yeux de Raphaël un de ces désirs furieux, jadis sa gloire à elle ; mais à mesure que grandissait ce désir, la Peau, en se 20 contractant, lui chatouillait la main. Sans réfléchir, elle s'enfuit dans le salon voisin dont elle ferma la porte.

« Pauline ! Pauline ! cria le moribond en courant après elle, je t'aime, je t'adore, je te veux ! Je te maudis, si tu ne m'ouvres ! Je veux mourir à toi ! »

Par une force singulière, dernier éclat de vie, il jeta la porte à terre, et 25 vit sa maîtresse à demi nue se roulant sur un canapé. Pauline avait tenté vainement de se déchirer le sein, et pour se donner une prompte mort,

elle cherchait à s'étrangler avec son châle. « Si je meurs, il vivra![1] » disait-elle en tâchant vainement de serrer le nœud. Ses cheveux étaient épars, ses épaules nues, ses vêtements en désordre, et dans cette lutte avec la
30 mort, les yeux en pleurs, le visage enflammé, se tordant sous un horrible désespoir, elle présentait à Raphaël, ivre d'amour, mille beautés qui augmentèrent son délire; il se jeta sur elle avec la légèreté d'un oiseau de proie, brisa le châle, et voulut la prendre dans ses bras.

Le moribond chercha des paroles pour exprimer le désir qui dévorait
35 toutes ses forces; mais il ne trouva que les sons étranglés du râle dans sa poitrine, dont chaque respiration creusée plus avant semblait partir de ses entrailles. Enfin, ne pouvant bientôt plus former de sons, il mordit Pauline au sein. Jonathas se présenta tout épouvanté des cris qu'il entendait, et tenta d'arracher à la jeune fille le cadavre[2] sur lequel elle s'était
40 accroupie dans un coin[3].

« Que demandez-vous? dit-elle. Il est à moi, je l'ai tué, ne l'avais-je pas prédit[4]? »

Balzac, *La Peau de chagrin*, « L'agonie » (« Folio », pp. 374-376).

---

1. Si Raphaël meurt de désir pour Pauline, Pauline, elle, veut mourir par amour pour Raphaël. A l'amour-narcissisme du premier s'oppose l'amour-sacrifice de la seconde. – **2.** Le « moribond » devient le « cadavre »; les bruits vont s'amenuisant et laissent place au silence : le moment de la mort n'est pas décrit et cette ellipse est d'autant plus saisissante que cet instant, dès les premières pages du roman, était attendu. – **3.** On a pu rapprocher ce tableau final de *La Peau de chagrin* (Pauline « accroupie » sur le cadavre de Raphaël) et le dénouement du roman de Stendhal, *Le Rouge et le Noir* (Mathilde tenant sur ses genoux la tête de Julien). – **4.** Pauline avait prédit la mort de Raphaël au temps de l'hôtel Saint-Quentin : « Vous épouserez une femme riche! (...) Ah! Dieu! elle vous tuera. »

Guide d'analyse

1. Précisez d'après ce texte comment se fait l'insertion d'un élément surnaturel dans le roman.

2. Caractérisez les procédés qui confèrent à cette page une couleur pathétique.

3. Montrez l'intime liaison de l'amour et de la mort, la fusion de la scène érotique et de l'agonie. Quelle en est la signification profonde?

Louis Lambert : La folie du héros

Louis Lambert, autre personnage des Études philosophiques, *apparaît dans le roman qui lui est consacré (1833) comme un double de Raphaël de Valentin. En effet, outre la similitude de leur condition à Paris, de leurs ambitions (ils songent pareillement à écrire un* Traité de la volonté*) et de leurs sentiments envers une Pauline, image angélique de l'amour absolu, on peut relever la convergence des significations des deux récits : illustrations pathétiques de l' « axiome » fondamental selon lequel « la vie décroît en raison directe de la puissance des désirs ou de la dissipation des idées »*[1]*, ces aventures figurent également deux tragédies où le héros s'achemine irréversiblement vers un dénouement fatal. Si le talisman assurait à Raphaël l'accomplissement de ses vœux mais causait sa mort, le génie philosophique de Lambert lui permet d'accéder à un autre monde mais lui fait perdre la raison.*

Illustration pour le roman de Balzac : *Louis Lambert.*

L'obscurité était si forte que, dans le premier moment, Mlle de Villenoix[2] et Louis me[3] firent l'effet de deux masses noires qui tranchaient sur le fond de cette atmosphère ténébreuse. Je m'assis, en proie à ce sentiment qui nous saisit presque malgré nous sous les sombres arcades
5 d'une église. Mes yeux, encore frappés par l'éclat du soleil, ne s'accoutumèrent que graduellement à cette nuit factice.

« Monsieur, lui dit-elle, est ton ami de collège. »

Lambert ne répondit pas. Je pus enfin le voir, et il m'offrit un de ces spectacles qui se gravent à jamais dans la mémoire. Il se tenait debout, les
10 deux coudes appuyés sur la saillie formée par la boiserie, en sorte que son buste paraissait fléchir sous le poids de sa tête inclinée. Ses cheveux, aussi longs que ceux d'une femme, tombaient sur ses épaules, et entouraient sa figure de manière à lui donner de la ressemblance avec les bustes qui représentent les grands hommes du siècle de Louis XIV. Son visage était
15 d'une blancheur[4] parfaite. Il frottait habituellement une de ses jambes sur l'autre par un mouvement machinal que rien n'avait pu réprimer, et le frottement continuel des deux os produisait un bruit affreux. Auprès de lui se trouvait un sommier de mousse posé sur une planche.

« Il lui arrive très rarement de se coucher, me dit Mlle de Villenoix,
20 quoique chaque fois il dorme pendant plusieurs jours. »

Louis se tenait debout comme je le voyais, jour et nuit, les yeux fixes, sans jamais baisser et relever les paupières comme nous en avons l'habitude. Après avoir demandé à Mlle de Villenoix si un peu plus de jour ne causerait aucune douleur à Lambert, sur sa réponse, j'ouvris légèrement
25 la persienne, et pus voir alors l'expression de la physionomie de mon ami. Hélas! déjà ridé, déjà blanchi, enfin déjà plus de lumière dans ses yeux, devenus vitreux comme ceux d'un aveugle. Tous ses traits semblaient tirés par une convulsion vers le haut de sa tête. J'essayai de lui parler à plusieurs reprises; mais il ne m'entendit pas. C'était un débris arraché à la
30 tombe, une espèce de conquête faite par la vie sur la mort, ou par la mort sur la vie. J'étais là depuis une heure environ, plongé dans une indéfinissable rêverie, en proie à mille idées affligeantes. J'écoutais Mlle de Villenoix qui me racontait dans tous ses détails cette vie d'enfant au berceau. Tout à coup Louis cessa de frotter ses jambes l'une contre l'autre, et dit
35 d'une voix lente : *Les anges sont blancs!*

---

1. Félix Davin, *Introduction aux Études philosophiques*. – **2.** Pauline de Villenoix. – **3.** Le narrateur est un camarade de Louis Lambert au collège des Oratoriens de Vendôme. – **4.** Notez dans cette page le contraste du noir et du blanc, l'opposition des ténèbres et de la lumière qui expriment la contradiction essentielle de la vie naturelle et de la pensée, le dualisme de la chair et de l'esprit, de l'homme et de l'ange.

Je ne puis expliquer l'effet produit sur moi par cette parole, par le son de cette voix tant aimée, dont les accents attendus péniblement me paraissaient à jamais perdus pour moi. Malgré moi mes yeux se remplirent de larmes. Un pressentiment involontaire passa rapidement dans mon âme
40 et me fit douter que Louis eût perdu la raison. J'étais cependant bien certain qu'il ne me voyait ni ne m'entendait ; mais les harmonies de sa voix, qui semblaient accuser un bonheur divin, communiquèrent à ces mots d'irrésistibles pouvoirs. Incomplète révélation d'un monde inconnu, sa phrase retentit dans nos âmes comme quelque magnifique sonnerie
45 d'église au milieu d'une nuit profonde[5].

Balzac, *Louis Lambert* (« Folio », pp. 158-160).

---

5. Comme dans *La Recherche de l'Absolu* ou *Le Chef-d'œuvre inconnu*, Balzac livre ici une hantise personnelle : l'homme de pensée, le voyant qui se lance dans une entreprise démesurée et prétend parvenir à une connaissance supérieure, court toujours le risque de sombrer dans les ténèbres de l'esprit, la folie.

Guide d'analyse

1. Étudiez la structure du texte. Quelle en est la progression ? Marquez les différentes étapes de cette « révélation ». Comment interprétez-vous le retour, à la fin du passage, de l'image de l'église ?

2. Analysez, d'après le portrait que trace Balzac, les effets de la « passion » de Lambert – élan mystique, soif de connaissance, volonté de métamorphoser l'homme en ange.

3. Montrez l'ambivalence des notations physiques et des images.

4. Que signifie la proximité du génie et de la folie, de la science ou du mysticisme et de la monomanie, de l'ange et de l'enfant ?

Le Chef-d'œuvre inconnu : La fin de l'artiste

Dans la trilogie que constituent Le Chef-d'œuvre inconnu *(1831),* Gambara *(1837),* Massimilla Doni *(1839), Balzac entend révéler la nature de l'œuvre d'art et étudier le problème de la création esthétique – picturale ou musicale – qui apparaît comme une autre forme de l'exercice de la pensée. Dans la première nouvelle, le maître Frenhofer, censé dévoiler au jeune Poussin et à Porbus le chef-d'œuvre de sa carrière, ne leur donne à voir en fait qu'un chaos de formes et de couleurs d'où émerge seulement un pied de femme – fragment parfait « échappé à une incroyable, à une lente et progressive destruction ». C'est que, chez Frenhofer, l'œuvre est tuée par l'intensité du principe créateur : la conception compromet l'exécution, la réalisation n'est qu'une traduction infidèle et imparfaite de la vision initiale.*

« Oui, mon ami, répondit le vieillard en se réveillant, il faut de la foi, de la foi dans l'art, et vivre pendant longtemps avec son œuvre pour produire une semblable création. Quelques-unes de ces ombres m'ont coûté bien des travaux. Tenez, il y a là sur sa joue, au-dessous des yeux, une
5 légère pénombre qui, si vous l'observez dans la nature, vous paraîtra presque intraduisible. Eh bien, croyez-vous que cet effet ne m'ait pas coûté des peines inouïes à reproduire ? Mais aussi, mon cher Porbus[1], regarde attentivement mon travail, et tu comprendras mieux ce que je te disais sur la manière de traiter le modelé et les contours, regarde la lumière du
10 sein, et vois comme, par une suite de touches et de *rehauts*[2] fortement empâtés, je suis parvenu à accrocher la véritable lumière et à la combiner avec la blancheur luisante des tons éclairés ; et comme, par un travail contraire, en effaçant les saillies et le grain de la pâte, j'ai pu, à force de caresser le contour de ma figure noyé dans la demi-teinte, ôter jusqu'à
15 l'idée de dessin et de moyens artificiels, et lui donner l'aspect et la rondeur même de la nature. Approchez, vous verrez mieux ce travail. De loin, il disparaît. Tenez ? là il est, je crois, très remarquable. » Et du bout de sa brosse, il désignait aux deux peintres un pâté de couleur claire.

Porbus frappa sur l'épaule du vieillard en se tournant vers Poussin :
20 « Savez-vous que nous voyons en lui un bien grand peintre ? dit-il.

– Il est encore plus poète que peintre[3], répondit gravement Poussin.

---

1. Balzac mêle dans son récit les figures historiques de François Porbus – Pourbus – (1569-1622) et de Nicolas Poussin (1594-1665), et le personnage fictif de Frenhofer. – **2.** Touches, hachures claires destinées à accuser les lumières. – **3.** Le poète s'opposerait au peintre comme celui qui conçoit à celui qui réalise, comme le créateur « visionnaire » à l'exécutant, comme l'artiste inspiré au technicien de la peinture.

– Là, reprit Porbus en touchant la toile, finit notre art sur terre.
– Et, de là, il va se perdre dans les cieux, dit Poussin.
– Combien de jouissances sur ce morceau de toile ! » s'écria Porbus.
25 Le vieillard absorbé ne les écoutait pas, et souriait à cette femme imaginaire.

« Mais, tôt ou tard, il s'apercevra qu'il n'y a rien sur sa toile, s'écria Poussin.

– Rien sur ma toile, dit Frenhofer en regardant tour à tour les deux 30 peintres et son prétendu tableau.

– Qu'avez-vous fait ? » répondit Porbus à Poussin.

Le vieillard saisit avec force le bras du jeune homme et lui dit : « Tu ne vois rien, manant ! maheustre[4] ! bélître[5] ! bardache[6]. Pourquoi donc es-tu monté ici ? – Mon bon Porbus, reprit-il en se tournant vers le peintre, 35 est-ce que, vous aussi, vous vous joueriez de moi, répondez ? Je suis votre ami, dites, aurais-je donc gâté mon tableau ? »

Porbus, indécis, n'osa rien dire ; mais l'anxiété peinte sur la physionomie blanche du vieillard était si cruelle, qu'il montra la toile en disant : « Voyez ! »

40 Frenhofer contempla son tableau pendant un moment et chancela.

« Rien, rien ! Et avoir travaillé dix ans. »

Il s'assit et pleura. « Je suis donc un imbécile, un fou ! je n'ai donc ni talent, ni capacité, je ne suis plus qu'un homme riche qui, en marchant, ne fait que marcher ! Je n'aurai donc rien produit. » Il contempla sa toile à 45 travers ses larmes, il se releva tout à coup avec fierté, jeta sur les deux peintres un regard étincelant.

« Par le sang, par le corps, par la tête du Christ, vous êtes des jaloux qui voulez me faire croire qu'elle est gâtée pour me la voler ! Moi, je la vois ! cria-t-il, elle est merveilleusement belle. » [...]

50 Il jeta sur les deux peintres un regard profondément sournois, plein de mépris et de soupçon, les mit silencieusement à la porte de son atelier, avec une promptitude convulsive. Puis, il leur dit sur le seuil de son logis : « Adieu, mes petits amis. »

Cet adieu les glaça. Le lendemain, Porbus inquiet revint voir Frenho-55 fer, et apprit qu'il était mort dans la nuit, après avoir brûlé ses toiles[7].

Balzac, *Le Chef-d'œuvre inconnu*, II, « Catherine Lescault », « La Pléiade, X », Éd. Gallimard, pp. 436-438.

---

4. Bandit. – **5.** Terme injurieux désignant un homme de rien. – **6.** Terme obscène désignant un mignon. – **7.** Sur les rapports de l'art à la nature et sur les relations de la vision à l'exécution, voir les *Nouvelles orientales* de Marguerite Yourcenar, « la tristesse de Cornélius Berg ».

Guide d'analyse

1. En la rapprochant des théories esthétiques de Diderot et de l'*Essai sur la peinture* en particulier, étudiez la réflexion de Frenhofer. Quelle fonction assigne-t-il à l'art ?

2. Quel caractère revêtent l'aveuglement, puis la lucidité et enfin la mort du peintre ?

3. Montrez que selon la logique de la réflexion philosophique de Balzac, ce suicide de l'art est inscrit dans la nature même de l'artiste. Albert Béguin voit en Porbus l'opposé de Frenhofer, dans les propos sensés et la volonté de travailler sur le réel du premier la contrepartie de l'entreprise démesurée et de l'expérience esthétique abstraite du second. Comment comprendre en ce sens le rapport de ces deux figures d'artistes à Balzac ?

Nicolas Poussin, *Autoportrait.* Paris, Musée du Louvre.

2. La civilisation, force destructrice de l'homme

Illusions perdues : Les souffrances d'un inventeur

Si Balzac évoque dans La Recherche de l'Absolu *la quête métaphysique de l'orgueilleux Balthazar, il montre dans* Illusions perdues *(III, 1843) les recherches de David Séchard, inventeur modeste, préoccupé du problème matériel de la fabrication du papier.*

Et alors que le premier succombe, victime de l'excès de la pensée, l'échec de l'imprimeur relève plutôt du conflit des intérêts et du jeu des forces sociales. En effet, trois billets contrefaits par Lucien, les frères Cointet, concurrents riches et puissants, l'avoué Petit-Claud et le prote Cérizet enfin, soucieux de parvenir par tous les moyens, suffisent à ruiner les recherches de David, à le dépouiller de son secret et à dénaturer sa découverte. Telle est la loi du monde moderne : l'argent, condition du développement industriel et instrument de progrès, est aussi facteur de régression et de dégradation.

Les Cointet étaient arrivés à leurs fins. Après avoir torturé l'inventeur et sa famille, ils saisissaient le moment de cette torture où la lassitude fait désirer quelque repos. Tous les chercheurs de secrets ne tiennent pas du bouledogue, qui meurt sa proie entre les dents, et les Cointet avaient
5 savamment étudié le caractère de leurs victimes. Pour le grand Cointet, l'arrestation de David[1] était la dernière scène du premier acte de ce drame. Le second acte commençait par la proposition que Petit-Claud venait faire[2]. En grand maître, l'avoué regarda le coup de tête de Lucien[3] comme une de ces chances inespérées qui, dans une partie, achèvent de la
10 décider. Il vit Ève si complètement matée par cet événement qu'il résolut d'en profiter pour gagner sa confiance, car il avait fini par deviner l'influence de la femme sur le mari. Donc, au lieu de plonger Mme Séchard

1. David a été arrêté à cause des dettes de Lucien et à la suite d'un stratagème de Cérizet qui sert les intérêts des frères Cointet. – 2. L'avoué Petit-Claud qui travaille pour les Cointet joue double jeu : il a proposé à Ève, en échange de la libération de David et du règlement des dettes, une association de l'inventeur et des imprimeurs. – 3. Lucien a laissé une lettre d'adieu dans laquelle il annonce son suicide.

plus avant dans le désespoir, il essaya de la rassurer, et il la dirigea très habilement vers la prison dans la situation d'esprit où elle se trouvait, en pensant qu'elle déterminerait alors David à s'associer aux Cointet. [...]

Trois mois se passèrent en expériences[4]. David couchait à la papeterie, il observait les effets des diverses compositions de sa pâte. Tantôt il attribuait son insuccès au mélange du chiffon et de ses matières, et il faisait une cuvée entièrement composée de ses ingrédients. Tantôt il essayait de coller une cuvée entièrement composée de chiffons. Et poursuivant son œuvre avec une persévérance admirable, et sous les yeux du grand Cointet de qui le pauvre homme ne se défiait plus, il alla, de matière homogène en matière homogène, jusqu'à ce qu'il eût épuisé la série de ses ingrédients combinés avec toutes les différentes colles. Pendant les six premiers mois de l'année 1823, David Séchard vécut dans la papeterie avec Kolb[5], si ce fut vivre que de négliger sa nourriture, son vêtement et sa personne. Il se battit si désespérément avec les difficultés, que c'eût été pour d'autres hommes que les Cointet un spectacle sublime, car aucune pensée d'intérêt ne préoccupait ce hardi lutteur.

Balzac, *Illusions perdues*, 3e partie, « Les souffrances de l'inventeur » (« Folio II », pp. 642 et 658).

---

4. David a accepté les propositions des Cointet qui vont manœuvrer perfidement pour le déposséder de sa découverte. Refusant de reconnaître les résultats obtenus par l'inventeur, ils le contraignent à de nouvelles expériences. – **5.** Ouvrier fidèle de David.

Guide d'analyse

1. Étudiez les images du premier texte; montrez-en la convergence et dégagez-en la signification.

2. Précisez quelle dimension revêt, dans le second passage, la lutte acharnée de David avec une matière qui lui résiste, sous le regard perfide de son rival.

3. Essayez d'après le contexte de définir quelles forces, en la personne des Cointet, jouent contre David. Notez ce que Balzac, sans refuser le progrès économique, critique dans la réalité de l'époque.

César Birotteau : La défaite d'un commerçant

Dans César Birotteau *(1837), Balzac, se souvenant de sa propre expérience des affaires, relate l'aventure d'un parfumeur parisien – ses succès et son expansion, puis ses difficultés et sa faillite. Birotteau s'est en effet lancé dans une entreprise audacieuse, l'humble boutiquier a cru pouvoir devenir un commerçant puissant. Il risque bien d'être absorbé et écrasé par la haute banque qui lui refuse les crédits qui pourraient le sauver. Martyr de la probité, César Birotteau est surtout victime d'une coalition d'intérêts dirigée contre lui, du capitalisme financier qui dévore tout, ainsi que des mutations de la société et des lois économiques nouvelles qu'il ne saisit pas.*

Le lendemain, après avoir étudié pendant toute la nuit tout ce qu'il devait dire et ne pas dire à l'un des grands hommes de la haute banque[1], César arriva rue du Houssaye, et n'aborda pas sans d'horribles palpitations l'hôtel du banquier libéral[2] qui appartenait à cette opinion accusée, 5 à si juste titre, de vouloir le renversement des Bourbons. Le parfumeur, comme tous les gens du petit commerce parisien, ignorait les mœurs et les hommes de la haute banque.

A Paris, entre la haute banque et le commerce, il est des maisons secondaires, intermédiaire utile à la Banque, elle y trouve une garantie de plus. 10 Constance[3] et Birotteau, qui ne s'étaient jamais avancés au-delà de leurs moyens, dont la caisse ignorait le vide et qui gardaient leurs effets en portefeuille, n'avaient jamais eu recours à ces maisons de second ordre ; ils étaient, à plus forte raison, inconnus dans les hautes régions de la Banque. Peut-être est-ce une faute de ne pas se fonder un crédit même inutile : 15 les avis sont partagés sur ce point. Quoi qu'il en soit, Birotteau regrettait beaucoup de ne pas avoir émis sa signature. Mais, connu comme adjoint et comme homme politique[4], il crut n'avoir qu'à se nommer et entrer ; il ignorait l'affluence quasi royale qui distinguait l'audience de ce banquier.

Introduit dans le salon qui précédait le cabinet de l'homme célèbre à 20 tant de titres, Birotteau s'y vit au milieu d'une société nombreuse composée de députés, écrivains, journalistes, agents de change, hauts commerçants,

---

1. Dans l'espoir d'obtenir un prêt, César Birotteau « résolut de tenter ce qui lui paraissait un grand coup, en s'adressant au fameux François Keller, banquier, orateur et philanthrope, célèbre par sa bienfaisance et par son désir d'être utile au commerce parisien, en vue d'être toujours à la Chambre un des députés de Paris. » – **2.** Le banquier François Keller est un opposant au régime. – **3.** Femme de César Birotteau. – **4.** Le parfumeur est adjoint au maire du deuxième arrondissement de Paris, comme le précise le titre du roman.

gens d'affaires, ingénieurs, surtout de familiers qui traversaient les groupes et frappaient d'une façon particulière à la porte du cabinet où ils entraient par privilège.

5 « Que suis-je au milieu de cette machine? » se dit Birotteau, tout étourdi par le mouvement de cette forge intellectuelle où se manutentionnait le pain quotidien de l'Opposition, où se répétaient les rôles de la grande tragi-comédie jouée par la Gauche. Il entendait discuter à sa droite la question de l'emprunt pour l'achèvement des principales lignes de 30 canaux proposé par le directeur des Ponts et Chaussées, et il s'agissait de millions! A sa gauche, des journalistes à la curée de l'amour-propre du banquier s'entretenaient de la séance d'hier et de l'improvisation du patron. Durant deux heures d'attente, Birotteau aperçut trois fois le banquier politique, reconduisant à trois pas au-delà de son cabinet des hom-35 mes considérables. François Keller alla jusqu'à l'antichambre pour le dernier, le général Foy[5].

« Je suis perdu! » se dit Birotteau dont le cœur se serra.

Balzac, *César Birotteau*, II, « César aux prises avec le malheur » (« Folio », pp. 262-263).

---

5. Général d'empire et député libéral.

Guide d'analyse

1. Étudiez le mouvement du texte et l'évolution des sentiments du personnage.

2. Comment s'exprime l'opposition du petit commerçant et du grand banquier?

3. Expliquez les expressions suivantes :
« Cette forge intellectuelle où se manutentionnait le pain quotidien de l'Opposition »; « Des journalistes à la curée de l'amour-propre du banquier ».

4. Quelle réalité Birotteau découvre-t-il dans l'antichambre du financier? Précisez en quels termes Balzac pose le problème du capitalisme.

Le Médecin de campagne : Une déclaration résolument monarchiste

*Balzac, qui voit dans l'organisation sociale et économique moderne la cause de l'échec de Séchard ou de la faillite de Birotteau et qui critique lucidement la société libérale et bourgeoise, régie par l'argent et axée sur le seul profit, considère de son devoir de s'engager et se prononce en faveur du système monarchique qui, allié au catholicisme, lui apparaît comme le seul remède aux maux actuels. Si dans l'*Avant-propos *(1842) lui-même déclare explicitement écrire « à la lueur de deux Vérités éternelles : la Religion, la Monarchie », dans* Le Médecin de campagne *(1833), il confie à la voix de Benassis un exposé de ses principes politiques. Ce personnage rayonnant, qui joint à la science du médecin la générosité du prêtre, la sagesse du juge et l'énergie d'un grand administrateur et qu'on reconnaît unanimement comme le bienfaiteur des humbles, se dit hostile au suffrage universel et au gouvernement de la bourgeoisie ou des masses populaires, générateurs de trouble et d'anarchie. Il opte pour un pouvoir fort, concentré entre les mains d'un homme d'État puissant ou d'une oligarchie, garante de l'ordre social.*

« Si, à Dieu ne plaise, la bourgeoisie abattait, sous la bannière de l'opposition, les supériorités sociales contre lesquelles sa vanité regimbe, ce triomphe serait immédiatement suivi d'un combat soutenu par la bourgeoisie contre le peuple, qui, plus tard, verrait en elle une sorte de
5 noblesse, mesquine il est vrai, mais dont les fortunes et les privilèges lui seraient d'autant plus odieux qu'il les sentirait de plus près. Dans ce combat, la société, je ne dis pas la nation, périrait de nouveau[1], parce que le triomphe toujours momentané de la masse souffrante implique les plus grands désordres[2]. Ce combat serait acharné, sans trêves, car il reposerait
10 sur des dissidences nombreuses entre les électeurs, dont la portion la moins éclairée mais la plus nombreuse l'emporterait sur les sommités sociales, dans un système où les suffrages se comptent et ne se pèsent pas.

1. Cf. *La Duchesse de Langeais* : « Dans toutes les créations, la tête a sa place marquée. Si par hasard une nation fait tomber son chef à ses pieds, elle s'aperçoit tôt ou tard qu'elle s'est suicidée. Comme les nations ne veulent pas mourir, elles travaillent alors à se refaire une tête. » – **2.** « Benassis parle en 1829, mais Balzac écrit son roman en 1833, après avoir assisté à ces premières années du nouveau régime où la bourgeoisie triomphante se trouvait en effet en butte aux assauts des revendications populaires. Les récentes émeutes parisiennes et lyonnaises sont présentes à sa pensée. Mettons du moins à son actif d'avoir bien vu et bien signalé que le système de suffrage restreint adopté par la Monarchie de Juillet ne pouvait être que temporaire, qu'il allait à l'encontre des principes mêmes qui lui avaient donné naissance, qu'une brèche était ouverte au flot montant de la démocratie et que 1830 devait nécessairement engendrer 1848. Seulement cette révolution sociale lui apparaît comme le pire des malheurs. » (Bernard Guyon, *La Pensée politique et sociale de Balzac.*)

Il suit de là qu'un gouvernement n'est jamais plus fortement organisé, conséquemment plus parfait, que lorsqu'il est établi pour la défense d'un
15 PRIVILÈGE plus restreint. Ce que je nomme en ce moment le *privilège* n'est pas un de ces droits abusivement concédés jadis à certaines personnes au détriment de tous : non, il exprime plus particulièrement le cercle social dans lequel se renferment les évolutions du pouvoir. Le pouvoir est en quelque sorte le cœur d'un État. Or, dans toutes ses créations, la nature a
20 resserré le principe vital, pour lui donner plus de ressort : ainsi du corps politique. [...]

Le triomphe de la bourgeoisie sur le système monarchique ayant pour objet d'augmenter aux yeux du peuple le nombre des privilégiés, le triomphe du peuple sur la bourgeoisie serait l'effet inévitable de ce change-
25 ment. Si cette perturbation arrive, elle aura pour moyen le droit de suffrage étendu sans mesure aux masses. Qui vote, discute. Les pouvoirs discutés n'existent pas. Imaginez-vous une société sans pouvoir ? Non. Eh bien, qui dit pouvoir dit force. La force doit reposer sur des *choses jugées.* Telles sont les raisons qui m'ont conduit à penser que le principe de l'élec-
30 tion est un des plus funestes à l'existence des gouvernements modernes. Certes je crois avoir assez prouvé mon attachement à la classe pauvre et souffrante, je ne saurais être accusé de vouloir son malheur ; mais tout en l'admirant dans la voie laborieuse où elle chemine, sublime de patience et de résignation, je la déclare incapable de participer au gouvernement. Les
35 prolétaires me semblent les mineurs d'une nation, et doivent toujours rester en tutelle. Ainsi, selon moi, messieurs, le mot *élection* est près de causer autant de dommage qu'en ont fait les mots *conscience* et *liberté,* mal compris, mal définis, et jetés aux peuples comme des symboles de révolte et des ordres de destruction. »

Balzac, *Le Médecin de campagne,* ch. III, « Le Napoléon du peuple » (« Folio », pp. 202-204).

Guide d'analyse

1. La critique de la démocratie. Précisez quels sont les arguments de Benassis. Essayez de comprendre, à la lumière du caractère et de l'œuvre du médecin, cette position.

2. Le système monarchique. Définissez la notion de « privilège » selon Balzac. Quelle conception du pouvoir est défendue ?

3. L'homme d'État. Quelle fonction est ici assignée à l'homme d'État ? Notez quelle figure historique est présente derrière cette évocation (et derrière tout le roman).

4. La religion. En vous appuyant sur les déclarations de Balzac dans l'*Avant-propos* et en vous inspirant du *Curé de village* (1838), vous étudierez quel rôle joue le catholicisme à côté de la royauté.

Les Paysans : Une vision spontanément démocratique?

Si Balzac professe des opinions monarchistes et crée les personnages de Benassis dans Le Médecin de campagne *(1833) ou d'Arthez dans* Illusions perdues *(1837-1843), nobles partisans de ce système, il a aussi dépeint des républicains – non seulement le maréchal Hulot de* La Cousine Bette *(1846) ou Niseron dans* Les Paysans *(1844), figures symboliques et intemporelles incarnant les vertus traditionnelles d'honnêté, d'intégrité, etc., mais aussi Michel Chrestien dans* Illusions perdues, *fédéraliste européen, membre du Cénacle et homme politique de haute portée. Il semble bien, comme le souligne Pierre Barbéris, qu'il y ait chez Balzac « une pulsion plébéienne » qui le porte d'abord vers une vision démocratique de la société; mais cet élan est réprimé, censuré en raison du danger qu'il représente – menace de désordre, d'instabilité – dans les conditions présentes. Il est intéressant de lire sous cet éclairage une des dernières œuvres de Balzac,* Les Paysans. *Si le romancier, royaliste convaincu, dit le péril que font courir aux Aigues la bourgeoisie et la paysannerie et déplore l'avènement de la « médiocratie », le roman, lui, livre une peinture réaliste de la misère du peuple – encore non organisé – et pressent les conflits qui éclateront dans l'avenir.*

Gravures de Lavieille (1855) pour *Les Paysans,* de Balzac.

« J'ai vu l'ancien temps et je vois le nouveau, mon cher savant monsieur, répondit Fourchon, l'enseigne est changée, c'est vrai, mais le vin est toujours le même ! AUJOURD'HUI n'est que le cadet d'HIER. Allez ! mettez ça dans *vout' journiau*[1] ! Est-ce que nous sommes affranchis ? nous appartenons toujours au même village, et le seigneur est toujours là, je l'appelle Travail. La houe, qu'est toute notre chevance[2], n'a pas quitté nos mains. Que ce soit pour un seigneur ou pour l'impôt qui prend le plus clair de nos labeurs, faut toujours dépenser not' vie en sueurs[3].

– Mais vous pouvez choisir un état, tenter ailleurs la fortune, dit Blondet.

– Vous me parlez d'aller quérir la fortune ?... Où donc irais-je ? Pour franchir mon département, il me faut un passeport, qui coûte quarante sous ! V'là quarante ans que je n'ai pas pu me voir une gueuse *ed'* pièce de quarante sous sonnant dans mes poches avec une voisine. Pour aller devant soi, il faut autant d'écus que l'on trouve de villages, et il n'y a pas beaucoup de Fourchon qui aient de quoi visiter six villages ! Il n'y a que la conscription qui nous tire *ed'* nos communes. Et à quoi nous sert l'armée ? à faire vivre les colonels par le soldat, comme le bourgeois vit par le paysan. Compte-t-on sur cent un colonel sorti de nos flancs ? C'est là, comme dans le monde, un enrichi pour cent *aut'* qui tombent. Faute de quoi tombent-ils ?... Dieu le sait et *l'zusuriers* aussi ! Ce que nous avons de mieux à faire est donc de rester dans nos communes, où nous sommes parqués comme des moutons par la force des choses, comme nous l'étions par les seigneurs. Et je me moque bien de ce qui m'y cloue. Cloué par la loi de la Nécessité, cloué par celle de la Seigneurie, on est toujours condamné à perpétuité à la *tarre*. Là où nous sommes, nous la creusons la *tarre* et nous la bêchons, nous la fumons et nous la travaillons pour vous autres qu'êtes nés riches, comme nous sommes nés pauvres. La masse sera toujours la même, elle reste ce qu'elle est... Les gens de chez nous qui s'élèvent ne sont pas si nombreux que ceux de chez vous qui dégringolent !... Nous savons *ben* ça, si nous ne sommes pas savants. Faut pas nous faire *nout* procès à tout moment. Nous vous laissons tranquilles, laissez-nous vivre... Autrement, si ça continue, vous serez forcés de nous

1. Le paysan Fourchon s'adresse au journaliste royaliste, Émile Blondet. – **2.** Bien, propriété. – **3.** Les paysans apparaissent comme les premières victimes de l'évolution de la société après la Révolution. « Le combat des paysans contre les séquelles de l'exploitation féodale, le combat pour un morceau de terre à soi, pour sa propre parcelle, en fait des appendices, des hommes de peine du capitalisme usurier. La tragédie de la disparition de la grande propriété aristocratique se transforme ainsi en tragédie de la parcelle paysanne : on voit comme la libération des paysans de l'exploitation féodale est tragiquement annulée par l'exploitation capitaliste. » (Georg Lukacs, *Balzac et le réalisme français.*)

nourrir dans vos prisons où l'on est mieux que sur *nout* paille. Vous vou-
35 lez rester les maîtres, nous serons toujours ennemis, aujourd'hui comme il y a trente ans. Vous avez tout, nous n'avons rien, vous ne pouvez pas encore prétendre à notre amitié !

– Voilà ce qui s'appelle une déclaration de guerre », dit le général.

Balzac, *Les Paysans*, 1re partie, « Qui terre a, guerre a » (« Folio », pp. 123-124).

Guide d'analyse

1. L'oppression des paysans. Quels aspects de la misère paysanne Balzac met-il ici en lumière ?

2. La condamnation à la terre. Montrez que Fourchon éprouve sa condition comme fatale et inéluctable.

3. « La malédiction des pauvres ». Notez que cette menace que profère Fourchon à l'adresse du général de Montcornet est plutôt l'annonce d'une vengeance passionnelle (cf. le dénouement du roman), mais qu'elle préfigure une révolte future.

4. Le langage paysan. Relevez les caractéristiques de ce langage. On a pu dire que Balzac exprimait, dans ce discours prêté à Fourchon, ce que ressentaient les paysans. Comment comprenez-vous cette attitude de l'écrivain ?

Documentation, essais, recherches

1. Albert Béguin met l'accent sur l'étonnement et l'angoisse de Balzac face au réel :

« Il est hanté de questions, de pressantes interrogations sur le temps destructeur, sur l'usure de la vie, sur les abîmes, toujours ouverts devant lui, de la mort et de la démence. L'existence humaine, la nature ambiante, la société, la courbe de chaque destin, l'aventure courue par chaque esprit, tout lui paraît traversé, habité, gouverné par des influences dont il ignore si elles sont divines ou démoniaques, mais dont il sait au moins qu'elles ont un caractère surnaturel. »

Vous étudierez comment Balzac formule ces questions fondamentales et montrerez quelle[s] réponse[s] il découvre.

2. En lisant les trois récits consacrés à l'art *Le Chef-d'œuvre inconnu* (1831), *Gambara* (1837), *Massimilla Doni* (1839), vous indiquerez en quels termes Balzac pose le problème de la création esthétique.

3. Albert Béguin remarque que « Balzac n'est complet que dans la simultanéité, l'intime fusion, la tension à jamais insoluble des deux tendances qu'il porte en lui ». Vous préciserez quelle est la nature de ce déchirement, comment Balzac l'exprime dans son œuvre et quelles issues il trouve.

LECTURES MODERNES

« Une entreprise de vouloir et d'élan »

L'idéologie balzacienne (centralisation, pouvoir unitaire et fort, développement de la vie par l'organisation et la réintégration de toutes les forces anarchiques ou centrifuges qui usent la matière humaine et sociale) est étroitement liée au réalisme créateur et expressif du roman balzacien. Au centre se trouve la figure et l'image du père, à être ou à trouver. La mère est le plus souvent image de fuite ou de révolte, liée d'une manière ou d'une autre à l'expérience de la solitude et de la souffrance. Or, un univers centré sur la figure du père est un univers à la fois du positif, du démiurgique et de l'ardent. Que cette paternité, que cette créativité rencontrent le malheur et l'échec, qu'il soit difficile sinon impossible d'être père à son tour, que l'on ne puisse, en conséquence, chercher sa réalisation et son affirmation qu'au travers de mythes et de figures mythiques, que l'on propose à la postérité non des recettes mais des figures et des images, explique que l'on fournisse à une pédagogie possible non des leçons d'absurde et de renoncement, mais de sens et d'exigence. Réalisme n'est pas ainsi, tout le confirme, entreprise d'abaissement, mais bien de vouloir et d'élan. Balzac disait qu'à Faust il préférait Prométhée et, de fait, on l'a vu, après Lambert, passer à Benassis, qui s'est gardé près de lui toutefois cette faustienne Fosseuse qui continue à s'interroger sur le sens du monde. C'est qu'entreprise et création sont pour lui dans la ligne normale de la quête et surtout du développement de l'absolu. Mais un absolu qui ne soit pas uniquement à trouver, Graal, antipodes ou Toison d'Or, mais à faire, un absolu moderne [...]

L'homme balzacien est beaucoup plus que le seul animal qui sait qu'il doit mourir ; l'homme balzacien est un homme qui prend conscience de ses contradictions, qui ne naît pas d'une Nature, mais d'une Histoire. On pouvait rendre compte de ces contradictions d'une manière non tragique tant qu'elles renvoyaient aux diverses forces jouant à l'intérieur d'un univers qui régulièrement mourait et se renouvelait. A partir du moment où elles peuvent renvoyer, dans le mouvement d'un univers orienté, à cette contradiction fondamentale pour laquelle il n'existe ni solution morale, ni explication cosmique, mais seulement expression romanesque (...), à partir de ce moment, l'interrogation ne peut plus que jouer vers l'avant et conduire à la mise en cause de l'Histoire et de l'historique.

Pierre Barbéris, *Balzac, une mythologie réaliste.* © Éd. Larousse.

LE RETOUR DES PERSONNAGES : RASTIGNAC

« Unité ultérieure, non factice, (...) peut-être même plus réelle d'être ultérieure, d'être née d'un moment d'enthousiasme où elle est découverte entre des morceaux qui n'ont plus qu'à se rejoindre ; unité qui s'ignorait, donc vitale et non logique, qui n'a pas proscrit la variété, refroidi l'exécution. »

Proust, *La Prisonnière.*

UNE IDÉE « GÉNIALE »

En 1833 Balzac, à la faveur d'une illumination, conçoit l'idée du retour des personnages et c'est avec *Le Père Goriot* qu'il use délibérément et systématiquement de ce procédé. Nous retrouvons en effet dans ce roman des figures présentes dans les récits antérieurs (comme Madame de Beauséant, héroïne de *La Femme abandonnée* ou Madame de Restaud qui intervenait dans *Gobseck*), et nous découvrons des personnages destinés à reparaître dans l'œuvre (comme Bianchon, le médecin de *La Comédie humaine* ou Vautrin qui resurgira dans *Illusions perdues* et *Splendeurs et misères des courtisanes*).

RASTIGNAC

Quant à Rastignac, il s'avère qu'au début du manuscrit il s'appelait d'abord Eugène de Massiac ; mais au feuillet 43 Balzac lui donne soudain le nom du dandy de *La Peau de chagrin* créé en 1830 : en avançant l'action du *Père Goriot* de quelques années (pour créer une distance temporelle entre les deux romans), l'écrivain peut évoquer ainsi le passé et les débuts dans la vie parisienne du mondain qu'est Rastignac dans *La Peau de chagrin.* Et ce personnage conquérant, résolu à parvenir au sommet de l'édifice social, est aussi promis à un bel avenir romanesque. Jeune étudiant pauvre et inconnu dans *Le Père Goriot*, il reparaît dans *Illusions perdues* lancé dans la haute société, menant l'existence insouciante des viveurs sous la Restauration, sans renoncer pour autant à ses projets ambitieux. Héros calculateur et pragmatique, il conçoit l'amour pour Delphine de Nucingen non comme une passion dévoratrice de l'être mais comme une force assurant la réussite de ses desseins (*La Maison Nucingen* révèle l'origine de sa fortune). Enfin, saisissant les mutations sociales de son époque, il comprend que l'aristocratie sous Louis-Philippe doit jouer le jeu de la bourgeoisie : *Le Député d'Arcis* le montre ministre, comte, époux de la fille de Delphine et héritier des millions de Nucingen.

EFFETS DE CE PROCÉDÉ

En reprenant les mêmes personnages et en les situant dans une même société, Balzac leur confère une vérité et un relief particuliers. Il éclaire successivement diverses facettes de leur être, suggère leur profondeur et préserve leur opacité en ménageant des zones d'ombre – les intervalles qui séparent les textes. Saisissant différents moments d'une existence, il signifie l'évolution d'un individu à travers le temps et exploite les effets de perspective d'une œuvre à l'autre : chacune des apparitions d'un personnage s'enrichit de la réapparition de son passé et figure une étape dans son devenir. Ainsi la créature balzacienne ne se réduit pas à l'image que nous donne tel roman particulier, ni même aux images juxtaposées que nous offre *La Comédie humaine* mais trouve sa vérité dans leur rapprochement et leur superposition. Donc si ce procédé produit selon la formule de Maurice Bardèche un « effet de réalité », par la multiplication des plans et l'épaisseur du monde représenté, il concourt aussi à créer l'univers parallèle, surdimensionné et signifiant de l'œuvre et assure l'unité, la cohérence profondes du « système » balzacien.

Quelques autres « personnages reparaissants »...

• Bianchon (Horace) : médecin.
Voir *Étude de femme, Le Père Goriot, L'Interdiction, La Messe de l'athée, Illusions perdues...*
• Blondet (Émile) : journaliste, puis préfet.
Voir *Le Cabinet des Antiques, La Maison Nucingen, Illusions perdues, Les Paysans...*
• Cadignan (Diane d'Uxelles, princesse de).
Voir *Le Cabinet des Antiques, Splendeurs et misères des courtisanes, Les Secrets de la princesse de Cadignan.*
• Marsay (comte Henri de).
Voir *La Fille aux yeux d'or, Le Père Goriot, Le Contrat de mariage, Illusions perdues, Autre étude de femme, Le Député d'Arcis...*
• Nucingen (baron Frédéric de) : banquier.
Voir *Le Père Goriot, La Maison Nucingen, Splendeurs et misères des courtisanes, Le Député d'Arcis...*

1. Les débuts dans la vie

Le Père Goriot : L'étudiant parisien

C'est dans Le Père Goriot *(1835) que sont relatés les débuts dans la vie d'Eugène de Rastignac, ou plus précisément son entrée dans le monde parisien. En effet, ce jeune aristocrate peu fortuné a quitté la sphère familiale et provinciale, espace clos et immobile, et il découvre l'univers dynamique et ouvert de la capitale. Le retour à Angoulême lui permet de mesurer le changement opéré en lui et l'évolution de sa vision du monde. Tel est donc le premier degré de l'initiation. Le spectacle et le contact du « Paris matériel » permettent au personnage d'accéder à une conscience de soi supérieure, d'apprécier plus justement le réel, et suscitent immédiatement en lui le désir de parvenir : encore naïf et déjà calculateur, il envisage les divers moyens de la réussite pour choisir le plus efficace. Aussi, dès maintenant, Rastignac apparaît non comme un héros de la conscience, s'en tenant à l'analyse de soi, mais comme un héros de l'action, soucieux de son devenir dans une réalité historique.*

Eugène de Rastignac était revenu dans une disposition d'esprit que doivent avoir connue les jeunes gens supérieurs, ou ceux auxquels une position difficile communique momentanément les qualités des hommes d'élite. Pendant sa première année de séjour à Paris, le peu de travail que
5 veulent les premiers grades à prendre dans la Faculté l'avait laissé libre de goûter les délices visibles du Paris matériel. Un étudiant n'a pas trop de temps s'il veut connaître le répertoire de chaque théâtre, étudier les issues du labyrinthe[1] parisien, savoir les usages, apprendre la langue et s'habituer aux plaisirs particuliers de la capitale; fouiller les bons et les mauvais
10 endroits, suivre les cours qui amusent, inventorier les richesses des musées. Un étudiant se passionne alors pour des niaiseries qui lui paraissent grandioses. Il a son grand homme, un professeur du Collège de France, payé pour se tenir à la hauteur de son auditoire. Il rehausse sa cravate et se pose pour la femme des premières galeries de l'Opéra-
15 Comique. Dans ces initiations successives, il se dépouille de son aubier[2],

1. Cette image lance le thème de l'initiation. Pour évoluer dans la société parisienne, Rastignac ne pourra se contenter de cette expérience du « Paris matériel » ; il aura besoin d'un fil d'Ariane – que lui offrira Madame de Beauséant. – 2. Le mot est ici à prendre dans le sens d' « écorce ».

agrandit l'horizon de sa vie, et finit par concevoir la superposition des couches humaines qui composent la société. S'il a commencé par admirer les voitures au défilé des Champs-Élysées par un beau soleil, il arrive bientôt à les envier. Eugène avait subi cet apprentissage à son insu, quand il
20 partit en vacances, après avoir été reçu bachelier ès-lettres et bachelier en droit. Ses illusions d'enfance, ses idées de province avaient disparu. Son intelligence modifiée, son ambition exaltée lui firent voir juste au milieu du manoir paternel, au sein de la famille. Son père, sa mère, ses deux frères, ses deux sœurs, et une tante dont la fortune consistait en pensions,
25 vivaient sur la petite terre de Rastignac. Ce domaine d'un revenu d'environ trois mille francs était soumis à l'incertitude qui régit le produit tout industriel de la vigne, et néanmoins il fallait en extraire chaque année douze cents francs pour lui. L'aspect de cette constante détresse qui lui était généreusement cachée, la comparaison qu'il fut forcé d'établir entre
30 ses sœurs, qui lui semblaient si belles dans son enfance, et les femmes de Paris, qui lui avaient réalisé le type d'une beauté rêvée, l'avenir incertain de cette nombreuse famille qui reposait sur lui, la parcimonieuse attention avec laquelle il vit serrer les plus minces productions, la boisson faite pour sa famille avec les marcs du pressoirs, enfin une foule de circonstan-
35 ces inutiles à consigner ici décuplèrent son désir de parvenir et lui donnèrent soif des distinctions. Comme il arrive aux âmes grandes, il voulut ne rien devoir qu'à son mérite. Mais son esprit était éminemment méridional[3], à l'exécution, ses déterminations devaient donc être frappées de ces hésitations qui saisissent les jeunes gens quand ils se trouvent en
40 pleine mer, sans savoir ni de quel côté diriger leurs forces, ni sous quel angle enfler leurs voiles. Si d'abord il voulut se jeter à corps perdu dans le travail, séduit bientôt par la nécessité de se créer des relations, il remarqua combien les femmes ont d'influence sur la vie sociale, et avisa soudain à se lancer dans le monde, afin d'y conquérir des protectrices[4] :
45 devaient-elles manquer à un jeune homme ardent et spirituel dont l'esprit et l'ardeur étaient rehaussés par une tournure élégante et par une sorte de beauté nerveuse à laquelle les femmes se laissent prendre volontiers?

Balzac, *Le Père Goriot* (« Folio », pp. 55-57).

---

3. Cf. Lucien à Paris. Mais chez ces deux « Méridionaux », les résolutions nobles ne tiennent pas longtemps. Contrairement aux membres du Cénacle d'*Illusions perdues*, Rastignac et Lucien, loin de se retirer du monde pour conquérir par leur travail la gloire, choisiront de réussir en jouant le jeu de la société. – **4.** Ainsi concevra-t-il d'abord sa liaison avec Delphine de Nucingen (voir les réflexions de Rastignac après la première rencontre).

Guide d'analyse

1. **L'initiation.** Étudiez-en les aspects et marquez-en les différents moments.

2. **Le changement de regard.** Précisez à quel moment intervient la prise de conscience du héros. Quelles formes revêt-elle et quelles en sont les conséquences ?

3. **L'ambition.** Analysez-en les éléments constitutifs. Par quelles images est-elle exprimée ? Citez dans *La Comédie humaine* des doubles de Rastignac qui ont connu ces mêmes tentations. Comparez la figure de Rastignac dans *Le Père Goriot* à celle de Julien Sorel dans *Le Rouge et le Noir.*

Le Café de Paris, vers 1845. Paris, Bibl. des Arts décoratifs.

2. Rastignac et Vautrin

Le Père Goriot : Le refus de la tentation

Roman d'éducation et d'apprentissage, Le Père Goriot *marque les différentes étapes de l'itinéraire suivi par Rastignac. Ambitieux et énergique, le héros se lance à la conquête du faubourg Saint-Germain. Un entretien avec Madame de Beauséant, sa cousine, l'initie aux secrets du monde, lui en révèle la loi profonde et lui livre la clef de la réussite : dans une société fondamentalement immorale et égoïste, il faut avec cynisme considérer les êtres – les femmes particulièrement – comme de simples instruments de son succès. Rastignac pourra pénétrer dans ce labyrinthe et devra séduire Delphine de Nucingen qui assurera sa fortune en l'associant aux opérations financières de son mari. Aux conseils amers de Madame de Beauséant viennent en un contrepoint sordide s'ajouter les leçons d'arrivisme de Vautrin, qui propose au jeune homme un moyen ignoble de s'enrichir. Nouvel Hercule placé à la croisée des chemins, Rastignac doit choisir entre le vice et la vertu, le monde et sa conscience. Quoiqu'il ait déjà réclamé de l'argent à sa famille, quoiqu'il s'apprête à exploiter une liaison éventuelle avec Madame de Nucingen, il veut – pour l'instant – rester fidèle à lui-même, repousse la tentation et refuse de se compromettre avec Vautrin.*

« Quelle tête de fer a donc cet homme! se dit Rastignac en voyant Vautrin s'en aller tranquillement, sa canne sous le bras. Il m'a dit crûment ce que Mme de Beauséant me disait en y mettant des formes[1]. Il me déchirait le cœur avec des griffes d'acier. Pourquoi veux-je aller chez Mme de
5 Nucingen? Il a deviné mes motifs aussitôt que je les ai conçus. En deux mots, ce brigand m'a dit plus de choses sur la vertu que ne m'en ont dit les hommes et les livres. Si la vertu ne souffre pas de capitulation, j'ai donc volé mes sœurs? » dit-il en jetant le sac sur la table. Il s'assit, et resta là plongé dans une étourdissante méditation. « Être fidèle à la vertu,

1. S'ils se rejoignent dans la vision de la société et l'analyse de ses ressorts, Madame de Beauséant et Vautrin figurent dans le livre deux pôles opposés entre lesquels oscille Rastignac, la première obéissant au sentiment et quittant noblement la scène, le second exploitant les forces mauvaises de l'homme et du monde.

10 martyre sublime! Bah! tout le monde croit à la vertu; mais qui est vertueux? Les peuples ont la liberté pour idole; mais où est sur la terre un peuple libre? Ma jeunesse est encore bleue comme un ciel sans nuage : vouloir être grand ou riche, n'est-ce pas se résoudre à mentir, plier, ramper, se redresser, flatter, dissimuler? n'est-ce pas consentir à se faire le
15 valet de ceux qui ont menti, plié, rampé? Avant d'être leur complice, il faut les servir. Eh bien, non. Je veux travailler noblement, saintement; je veux travailler jour et nuit, ne devoir ma fortune qu'à mon labeur. Ce sera la plus lente des fortunes, mais chaque jour ma tête reposera sur mon oreiller sans une pensée mauvaise. Qu'y a-t-il de plus beau que de
20 contempler sa vie et de la trouver pure comme un lys? Moi et la vie, nous sommes comme un jeune homme et sa fiancée[2]. Vautrin m'a fait voir ce qui arrive après dix ans de maraige. Diable! ma tête se perd. Je ne veux penser à rien, le cœur est un bon guide. »

Eugène fut tiré de sa rêverie par la voix de la grosse Sylvie, qui lui
25 annonça son tailleur, devant lequel il se présenta, tenant à la main ses deux sacs d'argent, et il ne fut pas fâché de cette circonstance.

Balzac, *Le Père Goriot* (« Folio », pp. 158-159).

2. Sur tout ce passage, voir *Lorenzaccio*, d'Alfred de Musset (Acte III, scène 3) :
« Ma jeunesse a été pure comme l'or... »
« J'étais un étudiant paisible, je ne m'occupais alors que des arts et des sciences... »
« J'étais heureux alors; j'avais le cœur et les mains tranquilles. »
« J'étais pur comme un lys... »
« J'observais comme un amant observe sa fiancée en attendant le jour de ses noces. »

Guide d'analyse

1. Le monologue intérieur. Analysez l'effet du discours de Vautrin sur Rastignac. Montrez que dans un premier temps ses certitudes vacillent et que sont remises en cause ses décisions et intentions antérieures. Étudiez comment il en arrive à une résolution opposée. Que peut-on lire néanmoins derrière cette méditation? Interprétez la chute du texte (l'intervention de la cuisinière et l'apparition du tailleur).

2. La pureté. Dès le début, Rastignac est donné comme pur et dit ici vouloir le rester. Essayer de définir comment est conçue la pureté. Comparez Rastignac au Lorenzo d'avant l'acte *(Lorenzaccio,* Acte III, scène 3*)*. Étudiez les évocations lyriques de l'innocence des deux personnages.

La vie au bagne, vers 1845. Paris, Bibl. des Arts décoratifs.

Le Père Goriot : Le pacte

Si Rastignac, ébranlé l'espace d'un instant dans ses projets d'affirmation de soi et de maîtrise du monde, prétend obéir à la voix du sentiment et choisir le chemin de la vertu, il suffit d'une promenade aux Tuileries pour qu'il prenne conscience du pouvoir de sa jeunesse sur les femmes et de la possibilité de l'exploiter pour arriver à ses fins. « Il avait vu passer au-dessus de sa tête ce démon qu'il est si facile de prendre pour un ange, ce Satan aux ailes diaprées (...). Il avait écouté le dieu de cette vanité crépitante dont le clinquant nous semble être un symbole de puissance. » Comme Lorenzaccio visité par « un démon plus beau que Gabriel »[1], Rastignac se laisse gagner par cette tentation et séduire par ces perspectives : il mène à bien la conquête de Delphine de Nucingen, il écoute de nouveau le discours de Vautrin ; il va jusqu'à accepter l'argent que celui-ci lui offre opportunément, s'abandonnant ainsi au pouvoir du Corrupteur.

1. Alfred de Musset, *Lorenzaccio*, Acte III, scène 3.

« Monsieur, lui dit Eugène en cachant avec peine un tremblement convulsif, après ce que vous m'avez confié, vous devez comprendre qu'il m'est impossible de vous avoir des obligations.

– Eh bien, vous m'auriez fait de la peine de parler autrement, reprit le 5 tentateur[2]. Vous êtes un beau jeune homme, délicat, fier comme un lion et doux comme une jeune fille. Vous seriez une belle proie pour le diable. J'aime cette qualité de jeunes gens. Encore deux ou trois réflexions de haute politique, et vous verrez le monde comme il est. En y jouant quelques petites scènes de vertu, l'homme supérieur y satisfait toutes ses fan- 10 taisies aux grands applaudissements des niais du parterre. Avant peu de jours vous serez à nous. Ah! si vous vouliez devenir mon élève, je vous ferais arriver à tout. Vous ne formeriez pas un désir qu'il ne fût à l'instant comblé, quoi que vous puissiez souhaiter : honneur, fortune, femmes. On vous réduirait toute la civilisation en ambroisie. Vous seriez notre enfant 15 gâté, notre Benjamin, nous nous exterminerions tous pour vous avec plaisir. Tout ce qui vous ferait obstacle serait aplati. Si vous conservez des scrupules, vous me prenez donc pour un scélérat? Eh bien, un homme qui avait autant de probité que vous croyez en avoir encore, M. de Turenne, faisait, sans se croire compromis, de petites affaires avec des 20 brigands[3]. Vous ne voulez pas être mon obligé, hein? Qu'à cela ne tienne, reprit Vautrin en laissant échapper un sourire. Prenez ces chiffons, et mettez-moi là-dessus, dit-il en tirant un timbre, là, en travers : *Accepté pour la somme de trois mille cinq cents francs payable en un an.* Et datez! L'intérêt est assez fort pour vous ôter tout scrupule; vous pouvez 25 m'appeler juif, et vous regarder comme quitte de toute reconnaissance. Je vous permets de me mépriser encore aujourd'hui, sûr que plus tard vous m'aimerez. Vous trouverez en moi de ces immenses abîmes, de ces vastes sentiments concentrés que les niais appellent des vices; mais vous ne me trouverez jamais ni lâche ni ingrat. Enfin, je ne suis ni un pion ni un fou, 30 mais une tour[4], mon petit.

– Quel homme êtes-vous donc? s'écria Eugène, vous avez été créé pour me tourmenter.

---

2. Si Balzac qualifie Vautrin de « diable », « démon » ou « tentateur », il ne sacrifie pas seulement au goût de l'époque pour une littérature remplie de personnages sataniques. Le forçat est véritablement l'incarnation du mal et de la corruption : il apparaît comme « l'archange déchu » parce qu'il se révolte, se substitue à la Providence et conclut avec de jeunes adeptes des pactes infernaux. – **3.** Allusion à une anecdote selon laquelle Turenne, arrêté de nuit par des brigands leur promit, s'ils lui laissaient une certaine bague, cent louis d'or – qu'il leur remit effectivement le lendemain. – **4.** Balzac compare souvent la vie sociale à une partie d'échecs.

– Mais non, je suis un bon homme qui veut se crotter pour que vous soyez à l'abri de la boue pour le reste de vos jours. Vous vous demandez pourquoi ce dévouement ? Eh bien, je vous le dirai tout doucement quelque jour, dans le tuyau de l'oreille. Je vous ai d'abord surpris en vous montrant le carillon de l'ordre social et le jeu de la machine ; mais votre premier effroi se passera comme celui du conscrit sur le champ de bataille, et vous vous accoutumerez à l'idée de considérer les hommes comme des soldats décidés à périr pour le service de ceux qui se sacrent rois eux-mêmes. Les temps sont bien changés. Autrefois on disait à un brave : "Voilà cent écus, tue-moi M. un tel", et l'on soupait tranquillement après avoir mis un homme à l'ombre pour un oui, pour un non. Aujourd'hui je vous propose de vous donner une belle fortune contre un signe de tête qui ne vous compromet en rien, et vous hésitez. Le siècle est mou. »

Eugène signa la traite, et l'échangea contre les billets de banque.

Balzac, *Le Père Goriot* (« Folio », pp. 213-215).

Guide d'analyse

1. Étudiez comment Vautrin dans son discours à Rastignac se présente et comment Balzac voit et donne à voir ce personnage.

2. Relevez et analysez les images par lesquelles Balzac désigne la vie sociale. Quelle vision du monde traduisent-elles ?

3. En quoi cette nouvelle offensive du forçat profite-t-elle du changement de situation de l'étudiant ? Comment interprétez-vous les réactions du jeune homme face au tentateur ?

4. D'après l'ensemble des entretiens de Vautrin et de Rastignac dans *Le Père Goriot,* précisez sur quoi repose ce pacte. En rapprochant ce texte de l'extrait de *Splendeurs et misères des courtisanes* précédemment cité, dégagez la signification de l'alliance que Vautrin propose à Rastignac avant de la conclure avec Lucien de Rubempré.

Dernières rencontres

« Dans son for intérieur, il s'était abandonné complétement à Vautrin, sans vouloir sonder ni les motifs de l'amitié que lui portait cet homme extraordinaire, ni l'avenir d'une semblable union. » Ainsi Balzac dans Le Père Goriot, *dévoile-t-il les mécanismes de la mauvaise conscience et de la mauvaise foi chez Rastignac qui, en dépit de sentiments encore vertueux (que signifient ses relations avec Goriot et Madame de Beauséant), semble désormais incapable de résister à celui qui, se substituant à la providence, lui assure fortune, amour, gloire... Mais le pacte qui le lie au tentateur est rompu par un élément extérieur : Vautrin, démasqué, est arrêté et fait ses adieux à Rastignac. Telle est la fin de cette alliance, tel est le terme – et l'échec – d'une initiation-corruption d'un jeune homme par un père diabolique. Rastignac réussira seul, par ses propres forces.*

Dans Illusions perdues *(III, 1843), ces deux figures sont encore associées, indirectement, lorsque Carlos Herrera, nouvelle incarnation de Vautrin, en compagnie de Lucien, ne peut refouler à la vue de la demeure des Rastignac une certaine nostalgie – scène admirable que Proust a intitulée « Tristesse d'Olympio de l'homosexualité »*[1].

Enfin ces personnages sont, dans Splendeurs et misères des courtisanes *(1839-1847), confrontés une dernière fois dans l'épisode du bal masqué de l'opéra et Rastignac, désormais établi et assuré dans le monde, s'incline encore, au rappel du pacte ancien, devant la toute-puissance de Vautrin.*

Dans **Le Père Goriot :**

« Messieurs, dit Collin[2] en s'adressant aux pensionnaires, ils vont m'emmener. Vous avez été tous très aimables pour moi pendant mon séjour ici, j'en aurai de la reconnaissance. Recevez mes adieux. Vous me permettrez de vous envoyer des figues de Provence[3]. » Il fit quelques pas,
5 et se retourna pour regarder Rastignac. « Adieu, Eugène, dit-il d'une voix douce et triste qui contrastait singulièrement avec le ton brusque de ses discours. Si tu étais gêné, je t'ai laissé un ami dévoué. » Malgré ses menottes, il put se mettre en garde, fit un appel de maître d'armes, cria : « Une, deux ! » et se fendit. « En cas de malheur, adresse-toi là. Homme et argent,
10 tu peux disposer de tout. »

Ce singulier personnage mit assez de bouffonnerie dans ces dernières paroles pour qu'elles ne pussent être comprises que de Rastignac et de lui.

Balzac, *Le Père Goriot* (« Folio », p. 265).

---

1. Proust, *Contre Sainte-Beuve*. – **2.** Jacques Collin, dit Trompe-la-Mort, alias Vautrin dans *Le Père Goriot*, alias Carlos Herrera dans *Illusions perdues* et *Splendeurs et misères des courtisanes*. – **3.** Du bagne de Toulon.

Dans ***Illusions perdues*** :

Au moment où il terminait ce récit, d'autant plus poétiquement débité que Lucien le répétait pour la troisième fois depuis quinze jours, il arrivait au point où, sur la route, près de Ruffec, se trouve le domaine de la famille de Rastignac, dont le nom, la première fois qu'il le prononça, fit
5 faire un mouvement à l'Espagnol.

« Voici, dit-il, d'où est parti le jeune Rastignac qui ne me vaut certes pas, et qui a eu plus de bonheur que moi.

– Ah!

– Oui, cette drôle de gentilhommière est la maison de son père. Il est
10 devenu, comme je vous le disais, l'amant de Mme de Nucingen, la femme du fameux banquier. Moi, je me suis laissé aller à la poésie; lui, plus habile, a donné dans le positif[4]. »

Le prêtre fit arrêter sa calèche, il voulut, par curiosité, parcourir la petite avenue qui de la route conduisait à la maison[5] et regarda tout avec
15 plus d'intérêt que Lucien n'en attendait d'un prêtre espagnol.

« Vous connaissez donc les Rastignac?... lui demanda Lucien.

– Je connais tout Paris », dit l'Espagnol en remontant dans sa voiture.

Balzac, *Illusions perdues*, 3e partie, « Les souffrances de l'inventeur » (« Folio II », pp. 624-625).

Dans ***Splendeurs et misères des courtisanes*** :

« Eh bien, Rastignac, avez-vous vu Lucien[6]? il a fait peau neuve.

– Si j'étais aussi joli garçon que lui, je serais encore plus riche que lui, répondit le jeune élégant d'un ton léger mais fin qui exprimait une raillerie attique.

5 – Non », lui dit à l'oreille le gros masque en lui rendant mille railleries pour une par la manière dont il accentua le monosyllabe.

Rastignac, qui n'était pas homme à dévorer une insulte, resta comme frappé de la foudre, et se laissa mener dans l'embrasure d'une fenêtre par une main de fer[7], qu'il lui fut impossible de secouer.

---

4. Telle est bien la raison de la réussite de Rastignac soucieux de « positif », d'efficacité pratique – et, *a contrario*, de l'échec de Lucien. – **5.** Proust loue la richesse suggestive et la profondeur de ce passage et cite à ce propos le vers célèbre du poème « Tristesse d'Olympio » de Victor Hugo (*Les Rayons et les Ombres*, XXXIV, vers 13) : « Il voulut tout revoir, l'étang près de la source... ». **6.** C'est là une conversation entre Rastignac et le comte du Châtelet que surprend Jacques Collin. – **7.** Cf. « la tête de fer », « les griffes d'acier » de Vautrin (*Le Père Goriot*). Il affirme être « comme une barre de fer dans [l']intérêt [de Lucien] » (*Splendeurs*). Son nom est presque celui du forgeron en espagnol (herrero).

10 « Jeune coq sorti du poulailler de maman Vauquer, vous à qui le cœur a failli pour saisir les millions du papa Taillefer quand le plus fort de l'ouvrage était fait, sachez, pour votre sûreté personnelle, que si vous ne vous comportez pas avec Lucien comme avec un frère que vous aimeriez, vous êtes dans nos mains sans que nous soyons dans les vôtres. Silence et 15 dévouement, ou j'entre dans votre jeu pour y renverser vos quilles. Lucien de Rubempré est protégé par le plus grand pouvoir d'aujourd'hui, l'Église. Choisissez entre la vie ou la mort. Votre réponse? »

Rastignac eut le vertige comme un homme endormi dans une forêt, et qui se réveille à côté d'une lionne affamée. Il eut peur, mais sans témoins : 20 les hommes les plus courageux s'abandonnent alors à la peur.

« Il n'y a que *lui* pour savoir... et pour oser... », se dit-il à lui-même.

Le masque lui serra la main pour l'empêcher de finir sa phrase : « Agissez comme si c'était *lui* », dit-il[8].

Rastignac se conduisit alors comme un millionnaire sur la grande 25 route, en se voyant mis en joue par un brigand : il capitula[9].

« Mon cher comte, dit-il à Châtelet vers lequel il revint, si vous tenez à votre position, traitez Lucien de Rubempré comme un homme que vous trouverez un jour placé beaucoup plus haut que vous ne l'êtes. »

Le masque laissa échapper un imperceptible geste de satisfaction, et se 30 remit sur la trace de Lucien.

Balzac, *Splendeurs et misères des courtisanes*, 1re partie, « Comment aiment les filles » (« Folio » pp. 42-43).

---

8. Le thème du masque (omniprésent dans l'œuvre où tous les personnages se dissimulent et prennent de fausses identités) et le procédé de la reconnaissance apparentent *Splendeurs* au roman populaire. – **9.** Voir l'anecdote de Turenne et des brigands *(Le Père Goriot)*. Rastignac accepte bien, comme l'avait prévu Vautrin, de « faire de petites affaires avec des brigands » : il cède au chantage, s'incline et joue le jeu du forçat.

Guide d'analyse

1. Essayez d'analyser ce qui fait la force et la beauté de ces pages.

2. Étudiez les relations qui s'établissent, dans *La Comédie humaine*, autour de Vautrin entre Eugène de Rastignac et Lucien de Rubempré.

3. En juxtaposant ces trois textes qui évoquent des époques différentes de la vie de Rastignac, montrez quels effets Balzac tire du retour des personnages. Que gagne le héros à ces réapparitions?

3. Le mondain

Le Père Goriot : L'adieu à l'innocence et le défi de la société

Vautrin arrêté, Madame de Beauséant préparant son départ et le père Goriot à l'agonie laissent Rastignac seul face au monde, contraint d'achever lui-même découverte et formation de soi. L'initiation du héros apparaît donc moins comme une révélation reçue de l'extérieur que comme une prise de conscience intime, une libération de l'être. Les deux textes constituent un adieu à l'enfance et à une vision du monde désormais dépassée. En effet, devenu l'amant de Madame de Nucingen, Rastignac, s'il ressent toujours douloureusement le conflit de la loi morale et des règles sociales et perçoit encore la voix du sentiment naturel, balaie ses scrupules, impose silence à sa conscience et s'apprête à accompagner Delphine au bal, pendant l'agonie de Goriot. De même, s'il assiste seul à l'enterrement de ce dernier et éprouve une « horrible tristesse », il jouera bientôt cyniquement le jeu du monde. Récit du passage de l'adolescence à l'âge adulte, du cercle familial à la sphère sociale, Le Père Goriot *est le roman certes de la perte d'illusions et de la flétrissure d'une innocence, mais aussi de la naissance d'un projet, de la promesse d'une action sur le monde.*

Il alla s'habiller en faisant les plus tristes, les plus décourageantes réflexions. Il voyait le monde comme un océan de boue dans lequel un homme se plongeait jusqu'au cou, s'il y trempait le pied[1]. « Il ne s'y commet que des crimes mesquins! se dit-il. Vautrin est plus grand. » Il avait
5 vu les trois grandes expressions de la société : l'Obéissance, la Lutte et la Révolte; la Famille, le Monde et Vautrin. Et il n'osait prendre parti. L'Obéissance était ennuyeuse, la Révolte impossible, et la Lutte incertaine. Sa pensée le reporta au sein de sa famille. Il se souvint des pures émotions de cette vie calme, il se rappela les jours passés au milieu des
10 êtres dont il était chéri. En se conformant aux lois naturelles du foyer

---

1. Cf. « Le monde est un bourbier, tâchons de rester sur les hauteurs » (Madame de Langeais chez Madame de Beauséant). « Je suis un bon homme qui veut se crotter pour que vous soyez à l'abri de la boue pour le reste de vos jours » (Vautrin à Rastignac). Rastignac, devant l'indifférence de Delphine qui ira au bal au lieu d'assister à l'agonie de son père, fait désormais en son nom ce constat pessimiste.

domestique, ces chères créatures y trouvaient un bonheur plein, continu, sans angoisses. Malgré ses bonnes pensées, il ne se sentit pas le courage de venir confesser la foi des âmes pures à Delphine, en lui ordonnant la Vertu au nom de l'Amour. Déjà son éducation commencée avait porté
15 ses fruits. Il aimait égoïstement déjà. Son tact lui avait permis de reconnaître la nature du cœur de Delphine. Il pressentait qu'elle était capable de marcher sur le corps de son père pour aller au bal, et il n'avait ni la force de jouer le rôle d'un raisonneur, ni le courage de lui déplaire, ni la vertu de la quitter. « Elle ne me pardonnerait jamais d'avoir eu raison
20 contre elle dans cette circonstance », se dit-il. Puis il commenta les paroles des médecins, il se plut à penser que le père Goriot n'était pas aussi dangereusement malade qu'il le croyait; enfin, il entassa des raisonnements assassins pour justifier Delphine. Elle ne connaissait pas l'état dans lequel était son père. Le bonhomme lui-même la renverrait au bal, si elle l'allait
25 voir. Souvent la loi sociale, implacable dans sa formule, condamne là où le crime apparent est excusé par les innombrables modifications qu'introduisent au sein des familles la différence des caractères, la diversité des intérêts et des situations. Eugène voulait se tromper lui-même, il était prêt à faire à sa maîtresse le sacrifice de sa conscience[2]. Depuis deux jours,
30 tout était changé dans sa vie. La femme y avait jeté ses désordres, elle avait fait pâlir la famille, elle avait tout confisqué à son profit.

Balzac, *Le Père Goriot* (« Folio », pp. 323-324).

Quand les deux fossoyeurs eurent jeté quelques pelletées de terre sur la bière pour la cacher, ils se relevèrent, et l'un d'eux, s'adressant à Rastignac, lui demanda leur pourboire. Eugène fouilla dans sa poche et n'y trouva rien, il fut forcé d'emprunter vingt sous à Christophe[3]. Ce fait, si
5 léger en lui-même, détermina chez Rastignac un accès d'horrible tristesse. Le jour tombait, un humide crépuscule agaçait les nerfs, il regarda la tombe et y ensevelit sa dernière larme de jeune homme, cette larme arrachée par les saintes émotions d'un cœur pur, une de ces larmes qui, de la terre où elles tombent, rejaillissent jusque dans les cieux. Il se croisa les
10 bras, contempla les nuages, et le voyant ainsi, Christophe le quitta.

---

2. Rastignac qui entend encore la voix du cœur ne lui obéit plus et sombre dans la mauvaise conscience. Ainsi n'agit-il plus désormais selon la morale du sentiment (cf. *supra* « Le cœur est un bon guide ») mais selon le code social. – **3.** Le domestique de Madame Vauquer.

Rastignac, resté seul, fit quelques pas vers le haut du cimetière et vit Paris tortueusement couché le long des deux rives de la Seine, où commençaient à briller les lumières. Ses yeux s'attachèrent presque avidement entre la colonne de la place Vendôme et le dôme des Invalides, là
15 où vivait ce beau monde dans lequel il avait voulu pénétrer. Il lança sur cette ruche bourdonnant un regard qui semblait par avance en pomper le miel, et dit ces mots grandioses : « A nous deux maintenant! »

Et pour premier acte du défi qu'il portait à la Société, Rastignac alla dîner chez Mme de Nucingen.

Balzac, *Le Père Goriot* (« Folio », pp. 363-364).

Guide d'analyse

1. A propos du premier extrait, précisez le rôle joué par Delphine de Nucingen. Sur quoi reposent les relations des deux personnages? Comment Rastignac, ambitieux, conquérant et actif, conçoit-il et vit-il l'amour?

2. Comment, dans le second texte – dernière page du roman –, interprétez-vous le défi à la société lancé par Rastignac au bord de la tombe du père Goriot?

3. Comparez le mouvement des deux textes et analysez la réaction du héros.
Même si chez Rastignac comme chez Lorenzo *(Lorenzaccio)* le contact du réel altère la pureté primitive de l'être, les deux personnages évoluent diversement. Soulignez les différences qui les séparent.

Le dandy et le lion

Balzac précise lui-même qu'il faut voir dans les dandys et les lions sous la Restauration ou la Monarchie de Juillet les héritiers des merveilleux et des incroyables du Directoire. A l'élégance du dandy soucieux de l'harmonie de son existence, le lion joint le désir de domination, la soif de l'argent, du pouvoir, de la réussite. Or, dans une société où règnent les vieillards, où la jeunesse est tenue à l'écart de la politique, où l'ambition militaire s'est éteinte avec la chute de Napoléon, les lions ne peuvent déployer – et gaspiller – leurs forces que dans une vie de plaisirs. Mais Rastignac, parce qu'il est un être de projet et de perspective, parce qu'il considère toute chose comme un moyen au service de son arrivisme, n'usera pas ainsi son énergie mais fera de la dissipation un « système politique », propre à assurer son triomphe sur le monde.

Dans ***Illusions perdues*** :

A cette époque florissait une société de jeunes gens riches ou pauvres, tous désœuvrés, appelés *viveurs*, et qui vivaient en effet avec une incroyable insouciance, intrépides mangeurs, buveurs plus intrépides encore. Tous bourreaux d'argent et mêlant les plus rudes plaisanteries à cette
5 existence, non pas folle, mais enragée, ils ne reculaient devant aucune impossibilité, se faisaient gloire de leurs méfaits, contenus néanmoins en de certaines bornes : l'esprit le plus original couvrait leurs escapades, il était impossible de ne pas les leur pardonner. Aucun fait n'accuse si hautement l'ilotisme[1] auquel la Restauration avait condamné la jeunesse. Les
10 jeunes gens, qui ne savaient à quoi employer leurs forces, ne les jetaient pas seulement dans le journalisme, dans les conspirations, dans la littérature et dans l'art, ils les dissipaient dans les plus étranges excès, tant il y avait de sève et de luxuriantes puissances dans la jeune France. Travailleuse, cette belle jeunesse voulait le pouvoir et le plaisir; artiste, elle vou-
15 lait des trésors; oisive, elle voulait animer ses passions; de toute manière elle voulait une place, et la politique ne lui en faisait nulle part. Les viveurs étaient des gens presque tous doués de facultés éminentes; quelques-uns les ont perdues dans cette vie énervante, quelques autres y ont résisté. Le plus célèbre de ces viveurs, le plus spirituel, Rastignac a fini
20 par entrer, conduit par de Marsay, dans une carrière sérieuse où il s'est distingué.

Balzac, *Illusions perdues*, 2e partie, « Un grand homme de province à Paris » (« Folio II », pp. 410-411).

Dans ***La Peau de chagrin*** :

« Dans les premiers jours du mois de décembre 1829, je[2] rencontrai Rastignac qui, malgré le misérable état de mes vêtements, me donna le bras et s'enquit de ma fortune avec un intérêt vraiment fraternel; pris à la glu de ses manières, je lui racontai brièvement et ma vie et mes espérances;
5 il se mit à rire, me traita tout à la fois d'homme de génie et de sot, sa voix gasconne, son expérience du monde, l'opulence qu'il devait à son savoir-faire, agirent sur moi d'une manière irrésistible. Rastignac me fit mourir à l'hôpital, méconnu comme un niais, conduisit mon propre convoi, me jeta dans le trou des pauvres. Il me parla de charlatanisme. Avec cette
10 verve aimable qui le rend si séduisant, il me montra tous les hommes de

---

1. Ce terme est souvent employé dans *La Comédie humaine* pour désigner l'aliénation – des provinciaux, des femmes, des jeunes gens, des talents... – **2.** Raphaël de Valentin fait à un de ses amis le récit de sa vie, des années studieuses consacrées à l'élaboration de l'œuvre qui le rendrait célèbre.

génie comme des charlatans. Il me déclara que j'avais un sens de moins, une cause de mort, si je restais seul, rue des Cordiers. Selon lui, je devais aller dans le monde, habituer les gens à prononcer mon nom et me dépouiller moi-même de l'humble *monsieur* qui messeyait à un grand
15 homme de son vivant. « Les imbéciles, s'écria-t-il, nomment ce métier-là *intriguer*, les gens à morale le proscrivent sous le mot de *vie dissipée*; ne nous arrêtons pas aux hommes, interrogeons les résultats. Toi, tu travailles?... eh bien, tu ne feras jamais rien. Moi, je suis propre à tout et bon à rien, paresseux comme un homard? eh bien, j'arriverai à tout. Je me
20 répands, je me pousse, l'on me fait place; je me vante, l'on me croit; je fais des dettes, on les paie! La dissipation, mon cher, est un système politique. La vie d'un homme occupé à manger sa fortune devient souvent une spéculation; il place ses capitaux en amis, en plaisirs, en protecteurs, en connaissances. Un négociant risque-t-il un million? pendant vingt ans
25 il ne dort, ni ne boit, ni ne s'amuse; il couve son million, il le fait trotter par toute l'Europe; il s'ennuie, se donne à tous les démons que l'homme a inventés; puis une liquidation, comme j'en ai vu faire, le laisse souvent sans un sou, sans un nom, sans un ami. Le dissipateur, lui, s'amuse à vivre, à faire courir ses chevaux. Si par hasard il perd ses capitaux, il a la
30 chance d'être nommé receveur général, de se bien marier, d'être attaché à un ministre, à un ambassadeur. Il a encore des amis, une réputation et toujours de l'argent. Connaissant les ressorts du monde, il les manœuvre à son profit. Ce système est-il logique, ou ne suis-je qu'un fou? N'est-ce pas là la moralité de la comédie qui se joue tous les jours dans le monde? »

Balzac, *La Peau de chagrin*, « La femme sans cœur » (« Folio », pp. 151-153).

Guide d'analyse

1. Précisez les caractères du « viveur ». En quoi est-il déterminé par les circonstances historiques? Étudiez quelques figures de « viveurs » dans *La Comédie humaine.*

2. En quoi consiste le « système » de Rastignac? Montrez que cette vie dissipée même est conçue comme un moyen de réussir. Analysez le style, le timbre de voix que Balzac prête à ce personnage.

3. Au couple Vautrin-Rastignac du *Père Goriot* correspond dans ce texte (antérieur) de *La Peau de chagrin* le couple Rastignac-Valentin. En quoi y a-t-il inversion des rôles? Qu'en déduisez-vous quant aux procédés de la création balzacienne?

4. La réussite

Le Député d'Arcis : La carrière politique

S'il apparaît dans l'état actuel du texte comme une scène de la vie politique consacrée à une élection en province, Le Député d'Arcis *(1847), ouvrage inachevé, était à l'origine conçu comme le roman de Maxime de Trailles, ainsi qu'en témoignent encore les dernières pages. Ce personnage, aux approches de la cinquantaine – l'action est située en 1839, sous le règne de Louis-Philippe – songe après une vie dissipée à se ranger, à « faire une fin ». Dans un salon parisien, il sollicite l'appui de Rastignac désormais comte, ministre pour la seconde fois, époux de la fille de Delphine et héritier des millions de Nucingen, qui obtiendra pour lui un prêt, le fera élire à Arcis comme candidat du pouvoir et lui permettra de s'allier au plus riche parti local.*

Maxime et Rastignac sortirent ensemble à une heure du matin, et avant de monter chacun dans leurs voitures, Rastignac dit à de Trailles, sur les marches de l'escalier : « Venez me voir à l'approche des élections. D'ici là, j'aurai vu dans quelle localité les chances de l'opposition sont les
5 plus mauvaises et quelles ressources y trouveront deux esprits comme les nôtres.

– Les vingt-cinq mille francs sont pressés[1] ! lui répondit de Trailles.

– Hé, bien ! cachez-vous. »

Cinquante jours après, un matin avant le jour, le comte de Trailles vint
10 rue de Bourbon, mystérieusement, dans un cabriolet de place, à la porte du magnifique hôtel que le baron de Nucingen avait acheté pour son gendre ; il renvoya le cabriolet, regarda s'il n'était pas suivi ; puis il attendit dans un petit salon que Rastignac se levât. Quelques instants après, le valet de chambre introduisit Maxime dans le cabinet où se trouvait
15 l'homme d'État.

« Mon cher, lui dit le ministre, je puis vous dire un secret qui sera divulgué dans deux jours par les journaux et que vous pouvez mettre à profit. Ce pauvre Charles Keller, qui dansait si bien la mazurka, a été tué en Afrique, et il était notre candidat dans l'arrondissement d'Arcis. Cette
20 mort laisse un vide. Voici la copie de deux rapports ; l'un du sous-préfet, l'autre du commissaire de police, qui prévenait le ministère que l'élection de notre pauvre ami rencontrerait des difficultés. Il se trouve dans celui

1. Allusion aux dettes du personnage.

du commissaire de police des renseignements sur l'état de la ville qui suffiront à un homme tel que toi, car l'ambition du concurrent du pauvre feu
25 Charles Keller vient de son désir d'épouser une héritière... A un entendeur tel que toi, ce mot suffit. Les Cinq-Cygne[2], la princesse de Cadignan et Georges de Maufrigneuse sont à deux pas d'Arcis, tu sauras avoir au besoin les votes légitimistes... Ainsi...

– N'use pas ta langue, dit Maxime. Le commissaire de police est
30 encore là ?

– Oui.

– Fais-moi donner un mot pour lui...

– Mon cher, dit Rastignac en remettant à Maxime tout un dossier, vous trouverez là deux lettres écrites à Gondreville[2] pour vous. Vous
35 avez été page, il a été sénateur, vous vous entendrez. Mme François Keller est dévote, voici pour elle une lettre de la maréchale de Carigliano. La maréchale est devenue dynastique, elle vous recommande chaudement et vous rejoindra d'ailleurs. Je ne vous ajouterai qu'un mot : défiez-vous du sous-préfet, que je crois capable de se ménager dans ce Simon Giguet un
40 appui auprès de l'ex-président du conseil. S'il vous faut des lettres, des pouvoirs, des recommandations, écrivez-moi.

– Et les vingt-cinq mille francs ? demanda Maxime.

– Signez cette lettre de change à l'ordre de du Tillet, voici les fonds.

– Je réussirai, dit le comte, et vous pouvez promettre au château que le
45 député d'Arcis leur appartiendra corps et âme. Si j'échoue, qu'on m'abandonne ! »

Maxime de Trailles était en tilbury, sur la route de Troyes, une heure après.

Balzac, *Le Député d'Arcis*, « La Pléiade », VIII, Éd. Gallimard, pp. 812-813.

---

2. Les Gondreville et les Cinq-Cygne étaient les deux familles rivales que mettait en scène *Une Ténébreuse affaire* (1841), dont *Le Député d'Arcis* est la suite. La société française ayant subi des évolutions et des transformations, cette alliance de la jeune et de la vieille pairie qui eût été impensable auparavant, au temps de l'affaire Simeuse, se dessine ici – contre le candidat de l'opposition Simon Giguet.

Guide d'analyse

1. Comment Balzac, dans ces dernières pages de l'œuvre, met-il en lumière les rouages cachés de la politique ? Précisez le rôle que joue Maxime de Trailles, agent de l'association des maisons de Gondreville et de Cinq-Cygne (autrefois rivales) et la signification de sa candidature dans cette localité de Champagne, calculée par le ministère.

2. Comment Balzac présente-t-il désormais Rastignac ? Que nous révèle ce texte de sa situation ? Analysez le ton de la conversation des deux hommes. Étudiez en quoi resurgit le passé de ces « lions » et quelle coloration il confère au présent.

LECTURES MODERNES

Une technique nouvelle et une création originale

... La grande découverte qu'apportait le retour des personnages et que Balzac saluait comme un miracle, c'était moins la naissance d'une société de figurants que l'invention d'une technique nouvelle qui mettait à sa disposition des ressources infinies et lui permettait de donner de chaque personnage, non plus une image unique et éphémère, mais une image véritable et vivante à travers toute son œuvre. Balzac venait d'inventer ce qui n'a été retrouvé depuis que par Marcel Proust, la « troisième dimension » des personnages imaginaires. [...]

Tel est le moyen nouveau dont s'enrichit à partir de 1835 la technique de Balzac. Nous en avons montré la puissance et les faiblesses. Mais la réapparition des personnages n'offrait pas seulement des possibilités au romancier. Elle mettait aussi à sa disposition un monde romanesque cohérent et passionnant. Elle l'invitait à croire à la réalité romanesque. Grâce à ces échanges continuels entre les œuvres, grâce à cette société en réduction, le cours de la réalité imaginaire ne se tarit pas pour Balzac après chacune de ses fictions. Elle se prolonge en lui. Chacun de ses personnages a en lui son destin qui nous est parfois inconnu. L'œuvre tout entière est présente à chaque instant à la pensée du créateur. Il y a alors entre le créateur et sa création une paternité plus forte, plus constante, que ne connaissent point les autres romanciers. Balzac ne vit pas avec l'œuvre qu'il compose, il vit avec l'ensemble de la *Comédie humaine*. Et cela nous explique ce mot qu'il eut un jour avec Werdet et qui va plus loin que la distraction : « Et maintenant, occupons-nous des choses sérieuses. A qui va-t-on marier Eugénie Grandet ? » La réalité romanesque s'empare du romancier. Elle est pour lui non seulement un refuge, mais un rêve perpétuel, une création continue. Elle est plus vraie, plus présente pour lui que la réalité véritable.

Maurice Bardèche, *Balzac romancier*. © Éd. Plon, 1940.

Documentation, essais, recherches

1. Balzac propose cette biographie de Rastignac :

« Rastignac (Eugène-Louis), fils aîné du baron et de la baronne de Rastignac, né à Rastignac, département de la Charente, en 1799, vient à Paris, en 1819, faire son droit, habite la maison Vauquer, y connaît Jacques Collin, dit Vautrin, et s'y lie avec Horace Bianchon, le célèbre médecin. Il aime madame Delphine de Nucingen, au moment où elle est abandonnée par de Marsay, fille d'un sieur Goriot, ancien marchand vermicellier, dont Rastignac paye l'enterrement. Il est un des lions du grand monde (voy. tome IV de l'œuvre) ; il se lie avec tous les jeunes gens de son époque, avec de Marsay, Baudenord, d'Esgrignon, Lucien de Rubempré, Émile Blondet, du Tillet, Nathan, Paul de Manerville, Bixiou, etc. L'histoire de sa fortune se trouve dans *La Maison Nucingen;* il reparaît dans presque toutes les scènes, dans *Le Cabinet des Antiques,* dans *L'Interdiction.* Il marie ses deux sœurs, l'une à Martial de la Roche-Hugon, dandy du temps de l'Empire, un des personnages de *La Paix du ménage;* l'autre, à un ministre. Son plus jeune frère, Gabriel de Rastignac, secrétaire de l'évêque de Limoges dans *Le Curé de village,* dont l'action a lieu en 1828, est nommé évêque en 1832 (voir la [*sic*] *Fille d'Ève*). Quoique d'une vieille famille, il accepte une place de sous-secrétaire d'État dans le ministère de Marsay, après 1830 (voir les *Scènes de la vie politique*), etc. »

Rédigez de la même manière celle de Madame de Beauséant – d'après *Le Père Goriot* (1835) et *La Femme abandonnée* (1832) – ou celle de Madame de Restaud – d'après *Le Père Goriot* et *Gobseck* (1830).

2. Comparez les figures d'Eugène de Rastignac et de Lucien de Rubempré. Qu'en déduisez-vous de la création balzacienne ?

3. Rapprochez le personnage de Rastignac de héros d'œuvres contemporaines – Julien Sorel, dans *Le Rouge et le Noir* (1830) de Stendhal ; Lorenzo, dans *Lorenzaccio* (1834) de Musset. Comment interprétez-vous leur parenté ? Quelle est la différence profonde ?

TRAVAUX D'ENSEMBLE

I. Pour la lecture d'une œuvre intégrale : *La Peau de chagrin*

1. Comment lire *La Peau de chagrin ?*

L'œuvre apparaît comme

– une étude philosophique : elle formule allégoriquement la théorie de la dépense de l'énergie ;

– un conte fantastique : elle fait une place au surnaturel, avec le personnage de l'Antiquaire et le talisman ;

– un roman réaliste : elle est une chronique – et une satire – de 1830.

2. Étude des structures du récit

a) *Le temps*

La Peau de chagrin repose sur

– une chronologie très précise accordée aux évolutions historiques : on peut retracer la biographie de Raphaël, de 1826 à 1831, articulée autour de juillet 1830 ;

– une remarquable distorsion temporelle : la structure de l'œuvre rompt l'ordre chronologique (la deuxième partie est un long récit rétrospectif) ;
– la conception d'un temps immobile : le temps ne véhicule nulle action, nulle création ; il est temps de la mort.

b) *L'espace*
Dans *La Peau de chagrin,* Paris est
– une réalité géographique : différents quartiers (de la Montagne Sainte-Geneviève au faubourg Saint-Honoré), correspondant à divers milieux sociaux, sont évoqués ;
– un espace mythique, théâtre d'un drame métaphysique : les lieux figurent les étapes successives d'un parcours initiatique (l'innocence, la tentation, la mort).

3. Le thème du désir dans *La Peau de chagrin*
Il faut distinguer trois phases dans l'itinéraire du héros :
– le désir refoulé et sublimé qui favorise l'étude et la création ;
– l'expérience du désir : la passion pour Fœdora, la femme sans cœur (ou le désir frustré) et l'expérience de la débauche (ou le désir comblé) dégradent et détruisent Raphaël ;
– la lutte contre le désir : le désir d'abord nié a finalement raison de la résistance de Raphaël qui succombe à son amour pour Pauline.

II. Balzac et Stendhal

Dans l'essai intitulé *En lisant, en écrivant,* Julien Gracq, comparant les œuvres de ces deux romanciers, note : « Le parallèle de Stendhal et de Balzac est celui de deux images du monde différentes, mais puissamment surdéterminées et soulignées par des techniques romanesques qu'un siècle sépare, alors que l'écart entre les dates de naissance des deux écrivains, qui n'est que de seize ans, en fait de quasi-contemporains. Chacun penché en équilibre instable sur l'extrême bord de deux époques de la littérature, l'une commençante et l'autre finissante, ils semblent presque se donner la main, comme ces derniers étages des maisons en encorbellement, qu'une rue pourtant sépare où roulent les voitures. »
En vous appuyant sur *La Comédie humaine* et sur *Le Rouge et le Noir* ainsi que sur *La Chartreuse de Parme,* vous commenterez cette réflexion.

III. L'écriture balzacienne

Proust, dans son *Contre Sainte-Beuve,* déclare : « Le style est tellement la marque de la transformation que la pensée de l'écrivain fait subir à la réalité, que, dans Balzac, il n'y a pas à proprement parler de style. (...) Dans Balzac coexistent, non digérés, non encore transformés, tous les éléments d'un style à venir qui n'existe pas. Ce style ne suggère pas, ne reflète pas : il explique. »
Julien Gracq, lui, retient de Balzac « ses façons de table d'hôte, l'épaisseur si particulière, presque gluante, de sa coulée verbale qui s'étale nourrissante et poisseuse comme une confiture, (...) ses grâces éléphantesques et d'autant plus attendrissantes, et tout ce qui, dans sa prose, fait penser aussi à l'agilité brusque et inattendue des obèses, bref le Gaudissart prodigieux – débordant de toutes parts par son invention, ses ridicules – dont on ne peut détacher son regard et son oreille ». Et il se dit sensible au « timbre de cette voix sensuelle et charnue, si complaisante à elle-même, qui charrie ses visions comme le trop-plein grandiose d'un fleuve en débâcle ».
En étudiant à partir des textes cités le style de Balzac, vous apprécierez ces deux réactions d'écrivains à la lecture de *La Comédie humaine.*

BIBLIOGRAPHIE ESSENTIELLE

Pierre BARBÉRIS :
- *Balzac et le mal du siècle*, éd. Gallimard, 1970.
- *Balzac; une mythologie réaliste*, éd. Larousse, 1971.
- *Le Père Goriot de Balzac*, éd. Larousse, 1972.

Maurice BARDÈCHE : *Balzac romancier*, éd. Plon, 1940; réédition Genève, Slatkine, 1967.

Albert BÉGUIN : *Balzac lu et relu*, éd. du Seuil, 1965.

Rose FORTASSIER : *Les Mondains de la Comédie humaine*, éd. Klincksieck, 1974.

Bernard GUYON : *La Pensée politique et sociale de Balzac*, éd. A. Colin, 1967.

Fernand LOTTE : *Dictionnaire des personnages fictifs de la Comédie humaine*, éd. J. Corti, 1967.

Georg LUKACS : *Balzac et le réalisme français*, éd. Maspéro, 1967.

Félicien MARCEAU : *Balzac et son monde*, éd. Gallimard, 1955-1970.

André MAUROIS : *Prométhée ou la vie de Balzac*, éd. Hachette, 1965.

Arlette MICHEL : *Le Mariage chez Honoré de Balzac. Amour et féminisme*, éd. Les Belles Lettres, 1978.

Nicole MOZET : *La Ville de province dans la Comédie humaine*, éd. Sedes, 1982.

Per NYKROG : *La Pensée de Balzac dans la Comédie humaine*, éd. Klincksieck, 1965.

Gaëtan PICON : *Balzac par lui-même*, coll. « Écrivains de toujours », éd. du Seuil, 1956.

André WURMSER : *La Comédie inhumaine*, éd. Gallimard, 3e éd., 1972.

Georges de ZÉLICOURT : *Le Monde de la Comédie humaine*, éd. Seghers, 1979.

Une revue spécialisée : *L'Année balzacienne* (éd. Garnier, puis P.U.F. à partir de 1984).

TABLE DES MATIÈRES

Nº d'éditeur Y 35413 I (P.F.-VII). T.C. Imprimé en France, juillet 1984
Imprimerie Aubin - Dépôt légal : Nº L 16898